MW00811356

JESÚS
EL GRAN MAESTRO
METAFÍSICO

JESÚS
EL GRAN MAESTRO
METAFÍSICO

José De Lira Sosa
Prof. y R.Sc.P.

Grupo Editorial Tomo, S. A. de C. V.
Nicolás San Juan 1043
03100 México, D. F.

1a. edición, abril 2002.
2a. edición, febrero 2004.

© *Jesús. El Gran Maestro Metafísico*
José De Lira Sosa R.Sc.P.

© 2004, Grupo Editorial Tomo, S.A. de C.V.
Nicolás San Juan 1043, Col. Del Valle
03100 México, D.F.
Tels. 5575-6615, 5575-8701 y 5575-0186
Fax. 5575-6695
http://www.grupotomo.com.mx
ISBN: 970-666-494-7
Miembro de la Cámara Nacional
de la Industria Editorial No 2961

Diseño de Portada: Luis Rutiaga
Supervisor de producción: Leonardo Figueroa

Ninguna parte de esta publicación podrá ser reproducida
o transmitida en cualquier forma, o por cualquier medio
electrónico o mecánico, incluyendo fotocopiado, cassette, etc.,
sin autorización por escrito del editor titular del Copyright.

Impreso en México - *Printed in Mexico*

AGRADECIMIENTO

Agradezco muy sinceramente y de todo corazón a mi querida esposa Alida, quien siempre me ha apoyado en todo. Gracias a Dios y a ella soy lo que soy ahora. Ella es de las personas que siempre son la misma. No tiene dos caras. Siempre está dispuesta a ayudar a todos y en todo lo que esté de su parte hacerlo, ella siempre lo hace con el sincero deseo de ayudar desinteresadamente. Y ella misma lo dice: *"Yo sólo soy un canal de ayuda de Dios"*.

Toda persona que se cruza en su camino es *"tocada"* por su radiación y todas ellas siempre progresan en todos los aspectos de su vida. Es un verdadero ejemplo a seguir. Gracias Alida por brindarme tu amor y comprensión, por inspirarme a escribir este libro y gracias por tu ayuda tan valiosa que siempre me brindas; Dios te bendice y que Él te siga iluminando con Su sabiduría para continuar gozando juntos aún más, la felicidad que por derecho divino ya nos ha sido dada.

Igualmente le doy las gracias más sinceras a la Profa. Margarita L. Peña Viramontes, quien contribuyó en la revisión de este libro el cual es la contribución de este humilde servidor para autoayuda de todo aquél que anda en busca de la Verdad. Es mi sincero deseo que aquí encuentre la llave que le abra el sendero hacia el Reino de Dios que proclamara nuestro amado Maestro Jesús, en el cual se encuentra la ansiada paz, y la felicidad por siempre.

Prof. José De Lira Sosa, R.Sc.P.

Contenido

PREFACIO

Nosotros no podemos comparar la filosofía de Jesús con otras. No podemos decir que él fue así o de esta otra manera o bien como alguien similar. Sólo podemos decir: Aquí estuvo un hombre el cual se encontró a sí mismo, inseparable de su Padre —Dios—, eternamente unido a Él; por siempre con Él. Consciente de su divinidad, él humildemente actuaba al mismo tiempo que contemplaba la vida infinita que le rodeaba. Jesús hablaba desde esa alta percepción de espiritualidad encontrada y desarrollada por él. Él proclamaba la no-existencia de la muerte, sino la realidad de la vida eterna; la continuidad del alma individual, la unidad del Espíritu Universal en todo y en todos.

Jesús estableció el Reino de Dios dentro de él mismo. Pero él siempre decía: *"Mi Reino no es de este mundo",* él vivió en conformidad con el mundo de su tiempo y nunca pensó que éste fuera malo, sino que todo dependía del nivel espiritual con que fuera visto.

Muchos han sido los libros que se han escrito acerca de los métodos que usaba Jesús en sus curaciones las cuales fueron sorprendentes, tanto físicas como mentales. Teóricamente fueron considerados como "milagros". No obstante, sigue habiendo objeciones ante estos resultados, entre los cuales el Maestro promete: *"De cierto les digo: El que en mí cree, las obras que yo hago, él las hará también"*. (Juan 14:12).

Todos los que han leído la vida de Jesús se han entusiasmado por todos estos milagros que él realizó, pero pocos han sido los que siguieron sus pasos como algunos de sus discípulos que lograron curar a mucha gente. No obstante, hasta la fecha las personas continúan glorificándose en la enfermedad y finalmente en la muerte.

Jesús descubrió su propia divinidad y su relación especial con Dios. Descubrió que a través de la fe podemos abrir las puertas de la inagotable Fuente-Dios, quien nos provee de ideas, las cuales fluyen a través de nuestra mente y ésta percepción nos lleva a una mayor comprensión del hombre Adán —lo humano en nosotros que es limitado— y nuestra verdadera Realidad —el potencial espiritual e ilimitado en nosotros— que no tiene límite.

Julio de 1955.

LA VIDA ES ETERNA

En su búsqueda, Jesús logró trascender la muerte; y lo demostró ante la tumba de su amigo Lázaro al ordenarle: "...*Lázaro, ven fuera*". (Juan 11:43). Para el Maestro la muerte no tenía existencia ni cabida en su mente, porque él sabía que la vida que vivimos era por siempre eterna y que no había que morir para serlo, como era y sigue siendo una creencia errónea. Él lo demostró con su más grande realización: La Resurrección. Pero aun ante este hecho, ayer como hoy existe la incredulidad. Santo Tomás lo dijo y se sigue afirmando: "ver para creer". Pero Jesús afirma: "*Yo he venido para que tengan vida, y para que la tengan en abundancia*". (Juan 10:10). También nos dice: "*Dios no es Dios de muertos sino de vivos*". (Mateo 22:32).

El Dr. Lawrence S. Kubie, Psiquiatra y Psicólogo norteamericano hace la siguiente declaración: "*Desde nuestro nacimiento estamos continuamente bloqueados por conflictos entre facciones internas. Éste ha sido el lote del hombre desde los días de Adán hasta hoy; pero es específicamente aquí que nos encontramos ante el umbral de una nueva clase de vida. El futuro abre ante nosotros la posibilidad de que podamos aprender a poner fin al desperdicio y a nuestros enormes poderes creativos latentes del dominio mutilante y paralizante de los conflictos inconscientes... El infinito potencial creativo del cerebro humano está albergado en un cuerpo potencialmente indestructible, el cual tiene un inherente sistema de reemplazo, ¡sus propios mecanismos de auto-reposición! Hemos aprendido que en tanto el sistema de provisión esté intacto, el cuerpo se separa y se reúne él mismo, no meramente órgano por órgano, ni célula por célula, sino literalmente molécula por molécula. Potencialmente, por lo tanto, es renovado constantemente y jamás envejece. Por consiguiente, no existe razón alguna para que un ser humano tenga que morir. Algún día los hombres y las mujeres dejarán de morir y vivirán para siempre".*

Joseph Murphy Ph. D., también lo afirma diciendo: "*Los científicos informan que usted construye un nuevo cuerpo cada once meses; así usted sólo tiene, en forma permanente once meses de edad desde el punto de vista físico. Si usted forma defectos respaldados dentro de su cuerpo por pensamientos de miedo, ansiedad, celos y voluntad enfermiza, no tendrá a quien reclamar sino a usted mismo".*

George Bernard Shaw con sus 90 años de edad muy bien vividos dijo: "*La muerte no debe considerarse como natural e inevitable. Nos morimos porque no sabemos vivir y nos matamos nosotros mismos con nuestros hábitos letales".*

Y Jesús lo reafirma diciendo: *"Yo soy la resurrección y la Vida; el que cree en mí, aunque haya muerto, vivirá".* (Juan 11:25).

Todas estas declaraciones no pueden estar equivocadas, sino que son una pauta a seguir e indagar por nuestra propia cuenta hasta dónde son verdad. Comúnmente surgen preguntas como: ¿Si somos eternos, entonces por qué envejecemos? y ¿por qué morimos? A la vista de nuestro entendimiento, envejecemos por nuestro acondicionamiento mental de creencias acerca del tiempo, de la vejez y de la muerte.

Por ejemplo: Se nos dice que si tienes 40 años de edad, ya empiezas a encanecer porque principia tu estado de vejez, si tienes 50 años de edad ya se te empiezan a olvidar las cosas porque tu memoria empieza a fallar, si llegas a los 60 años de edad, entonces ya eres un anciano y te empiezas a encorvar, además es necesario que uses un bastón para que te apoyes porque merman tus fuerzas. Y en el caso de llegar a los 65 o 70 años de edad; tú en todas partes estorbas y nadie te presta atención, y así te vas poco a poco aislando de la gente y hasta de tu propia familia, sintiéndote marginado, incomprendido y dices para ti mismo: *"Ellos no me comprenden, ya no sirvo para nada, me siento cansado, inútil".* Y por esta razón te vuelves un necio, y todos exclaman que te comportas como un "niño", pero para ti esta es una forma de llamar la atención; es una forma de protestar. Vives tu propio calvario e inconscientemente dices: "Lo mejor es morir". Y así decretas partir de esta vida con la muerte.

Si tú eres una persona falta de madurez y muy poco interesada en tomar tus propias decisiones en tu vida, dejando que otros lo hagan por ti, además, si te has dejado influenciar o sugestionar por otros; entonces eres presa fácil de este acondicionamiento de información. Por consiguiente tú experimentarás en tu cuerpo y ambiente, todas estas cosas que te han sido dichas o has escuchado y tú lo verás muy natural, hasta podrás exclamar: "así es la vida". No te has percatado que todo esto que experimentas ahora es sólo el producto de tu propio pensamiento, o el pensamiento de otros que tú has aceptado porque en tu ignorancia no supiste cómo rechazarlo.

En cuanto a la muerte, realmente muy pocas personas saben el significado de esta palabra. Le han dado un enfoque en términos intelectuales mas no espirituales. Lo han visto desde su nivel humano, y por eso la mayoría viven con el temor a morir. Ellos sólo saben que el morir es dejar de existir, o como lo dice el materialista: "nacer, crecer y morir". Si esto fuera así, ¿cuál sería el objeto de estar viviendo en este mundo? No habría un incentivo para nosotros; pero esto lo trataremos más adelante en otro capítulo titulado: ¿Quién yo soy? El diccionario nos dice que muerte es: Separación del alma y el cuerpo; defunción; destrucción; exterminio; aniquilación; fin de toda esperanza. La ciencia nos dice que nuestro cuerpo está formado de materia, pero, ¿qué es la materia? La propia ciencia ha analizado la materia y encuentra que está formada de energía o sustancia y que cada cosa que podemos observar, tocar, oler, probar y que tengamos contacto físico con ella, es simplemente algún aspecto de esa energía o sustancia en forma.

Siguiendo nuestra investigación, encontramos que eso que llamamos energía no muere, es eterna; sólo se transforma en otra cosa o vuelve a su fuente de donde proviene.

Por consiguiente nuestro cuerpo al dejar de existir, nuestra alma o espíritu que le daba vida, trasciende lo humano —la materia— y se eleva a un plano mayor. El cuerpo que fue formado de sustancia, sólo se transforma en otra cosa o regresa a su fuente de donde él fue conformado. Así, lo que llamamos muerte, realmente no tiene existencia propia porque no fue creada por el Espíritu-Dios, sino que es una creencia nuestra, del ser humano y limitado quien le ha dado esa existencia al creer en ella. Por consiguiente, no hay un Principio o alguna Ley que la sostenga y por tal motivo, al dejar de creer en ella, ella deja de existir en nuestra mente y lógicamente en nuestra vida.

El científico Albert Einstein revolucionó grandemente el pensamiento científico clarificándolo y ampliando el camino para establecer bases más firmes en la filosofía y pensamientos religiosos. Él dio su famosa ecuación $E=mc^2$ que significa: "Energía y masa son una y la misma cosa y son intercambiables". Desde nuestro estudio y comprensión metafísico, decimos a esto que: Dios como Mente, y actuando como Energía se transforma en lo que conocemos como mundo físico o forma a través de la Ley Creativa. Y así, decimos que todo es Dios y Dios es todo, o como dijera Einstein: "...son una y la misma cosa". También sabemos que Dios, siendo Infinito, jamás es absorbido o disminuido por lo que Él siempre está creando.

Asimismo, cada uno de nosotros moldeamos nuestro cuerpo con nuestros pensamientos, ya que ellos son creativos por naturaleza porque estamos usando el mismo Poder Creativo que usa Dios para crear. La diferencia está en que nuestro Creador crea mundos, planetas, estrellas y los puebla y nosotros creamos nuestro pequeño mundo en el cual vivimos rodeados de personas las cuales atraemos a nuestro entorno, adquirimos cosas y experimentamos situaciones y circunstancias las cuales hemos creado basados en nuestras creencias, hayan sido éstas verdaderas o falsas. Igualmente vamos moldeando un cuerpo sano o enfermizo, y como dice el Dr. Murphy, no podremos culpar a nadie acerca de lo que estemos experimentando en nuestro cuerpo, ya que hemos sido nosotros quienes lo hemos formado a través de este pensar.

Por lo antes expuesto, he ahí la importancia de porqué nosotros debemos de mantener siempre nuestros pensamientos positivos y constructivos, ya que de este pensar depende la clase de vida que realmente deseemos vivir, y no vivir la clase de vida que otros quieren que vivamos, porque esto equivale a darles el poder para que escojan la clase de vida que según ellos nos conviene vivir.

Si seguimos este método —pensando correctamente—, entonces automáticamente estaremos contribuyendo con nuestro cuerpo para que se mantenga siempre sano, ya que ésta es su naturaleza innata, un estado de perfección. Por consecuencia lo mantendremos siempre joven, fuerte y saludable hasta que nosotros queramos, hasta que hayamos cumplido nuestro cometido o la razón por la cual estamos ahora en este plano físico-material, pero siempre gozando de una salud perfecta y permanente, llenos de entusiasmo y fe por la vida misma.

Esta vida maravillosa que el Creador ha implantado en cada uno de nosotros, nos brinda la oportunidad para crecer y desarrollarnos más espiritualmente, hasta alcanzar esa conciencia alta como el Maestro Jesús lo logró; la completa unidad con toda Vida. Sabemos que esto no es fácil para nadie, pero podemos lograrlo si realmente lo queremos porque: *"Todo es posible para aquél que cree"*, como lo dijera el propio Jesús.

Si verdaderamente creemos y aceptamos que hay sólo una Mente y Ésta está individualizada —no dividida— en cada uno de nosotros, entonces podemos decir que la misma mente que usó Jesús la estamos usando nosotros ahora y con el mismo potencial usado por él. La diferencia entre Jesús y nosotros no está en nuestra inherente espiritualidad la cual es poder ilimitado, sino en su demostración. Jesús nos dijo: *"Las cosas que yo hago, él las hará también; y cosas más grandes hará si tan solo cree"*. (Juan 14:12).

"Por lo tanto Alahja (Dios en dialecto arameo) *creó a los humanos a imagen suya. Macho y hembra los creó"*. (Génesis 1:27). Si realmente aceptamos esta declaración

de la Biblia, entonces creeremos que Dios el Espíritu puro, es nuestro Padre-Madre espiritual, y que está individualizado en Su creación, como nosotros. Por consiguiente, todos poseemos las mismas cualidades y virtudes que tiene nuestro Padre. Somos por lo tanto parte integral del Espíritu-Dios; cocreadores con Él. Somos lo que Dios es; tenemos lo que Él tiene. Desde luego que no podemos compararnos con Su grandeza; pero en esencia de lo que Él es, somos seres espirituales.

Una vez que hayamos empezado a tener nuestras propias manifestaciones, entonces nuestra fe irá en aumento; nuestro entusiasmo también aumentará y en cada logro reafirmaremos nuestra creencia y aceptación de lo bueno. Así, gradualmente iremos avanzando en el pulimento de nuestra alma y podremos decir también: *"Y cuando yo sea levantado de la tierra, a todos los hombres atraeré a mí mismo".* (Juan 12:32).

Esta cita bíblica es de gran trascendencia en su mensaje espiritual. Significa que cuando nosotros cambiemos nuestras actitudes, nuestro pensar acerca de nosotros mismos y de los demás, entonces podremos cambiar nuestro mundo, —no a todo el mundo, pero sí el mundo que nos rodea— como es el hogar donde vivimos, nuestro centro de trabajo, la sociedad donde compartimos nuestras experiencias, este pequeño mundo sí lo podemos cambiar, porque él es simplemente el reflejo de nuestro pensamiento.

Al lograr esto, entonces seremos un ejemplo a seguir, seremos una gran influencia para los demás y todos contribuiremos para que nuestra vida y nuestro mundo sea cada vez mejor. Y entonces cuando nos levantemos de la tierra —de lo más bajo— atraeremos a otros hacia nosotros como lo hizo Jesús.

Afirma con entusiasmo y fe:

MI CUERPO ES EL TEMPLO DE DIOS EN MÍ;
ES PERFECTO.
YO ALABO Y BENDIGO MI CUERPO
Y ÉL ME CORRESPONDE CON UNA
EXUBERANTE SALUD
Y UN PERFECTO BALANCE.
LA VIDA DE DIOS EN ÉL LO MANTIENE
SIEMPRE RADIANTE.

YO VIVO, ME MUEVO Y TENGO MI SER EN
EL ESPÍRITU.
EL ESPÍRITU DE DIOS EN MÍ, ES POR SIEMPRE;
ES ETERNO.
EL MUNDO DONDE YO VIVO ES PERFECTO
Y LLENO DE PAZ.
LA VIDA QUE YO VIVO ES UNA VIDA
COMPLETA Y FELIZ.

LA VIDA DE DIOS EN MÍ, ES MI FUENTE
DE ABASTECIMIENTO.
LA VIDA DE DIOS EN MÍ ES MI ENERGÍA,
FORTALEZA Y GUÍA.
LA VIDA DE DIOS EN MÍ ME LLEVA HACIA
EL ÉXITO SEGURO.

YO SOY UNO CON MI CREADOR
Y TODO ESTÁ BIEN EN MÍ.

VIDA ¡AHORA!... Y ASÍ ES.

¿QUIÉN YO SOY?

Es necesario que el hombre haga un reconocimiento de su naturaleza y del universo en el cual está viviendo. Un completo despertar de su relación con todo lo que le rodea; y lo más importante: él necesita tener una mayor comprensión del poder creativo que es su pensamiento porque, consciente o inconscientemente, él está creando a través de su pensar el mundo que le rodea en su diario vivir. Todos y cada uno de nosotros tenemos acceso al Poder espiritual el cual es un Poder más grande que nosotros. Este Poder radica en el centro de nuestro propio ser y por consiguiente lo estamos usando a diario, ya sea para nuestro bien o para nuestro no-bien.

Pero vamos primeramente a considerar lo que fue el principio de la creación en la cual incluye al hombre. El pensamiento de la antigüedad nos dice que existe un Macrocosmos y un microcosmos. Dicho en otras palabras: El Gran Mundo y el pequeño mundo; El Universal y lo individual. Asimismo la filosofía, la religión y la ciencia nos dicen que nuestro mundo está regido por una Ley y Orden de origen Divino. La Biblia también dice que el ser fue creado "*a imagen y semejanza del Padre*". Lo que significa que estamos hechos de lo que Dios es: Espíritu, algo abstracto y hecho concreto o visible como tú o yo. Cada cual lo puede considerar a su entendimiento o comprensión; que somos una personificación de lo Universal, una individualización la cual llamamos hombre o mujer. El Dr. Ernest Holmes en su libro *La Ciencia de la Mente* nos dice al respecto:

"*En el principio Dios. Espíritu, sólo Inteligencia o Mente. Dios significa Espíritu Supremo o Inteligencia Universal de conocimiento propio. Primera Causa. El Creador de todo el universo manifestado por el poder de Su palabra la cual es Ley. Dios no es sólo Espíritu o Inteligencia pura, Él es también perfecta Ley inmutable. Como Espíritu puro, gobierna el universo a través del poder de Su palabra. Cuando Él habla, Su palabra principia a ser Ley. Esta Ley obedece. La Ley es mecánica; la Palabra es espontánea.*

"*Dios no puede hablar una palabra la cual contradiga Su propia naturaleza. Desde que Dios es Inteligencia pura y Ser Infinito, Él siempre está creando. Su naturaleza es creativa; Él siempre está creando dentro de Sí Mismo. La Palabra de Dios hablada dentro de Sí Mismo, pone en acción a la Ley —la cual también está dentro de Sí Mismo— y el resultado es: Creación.*

"*La palabra es el molde el cual actúa a través de la Ley produciendo formas. Como hay muchas palabras, así también hay muchas formas, cada una distinta y cada una, una idea individualizada de Dios. Como la Palabra de Dios es permanente, cuando Él habla se realiza y se perpetúa a Sí Mismo. De la misma forma como las semillas contienen dentro de sí mismas todo lo que es necesario para su reproducción según su clase. Sabemos que cada semilla no puede cambiarse por sí misma y producir otra clase de fruto o planta, porque ella únicamente puede producir lo que lleva dentro de sí; de otra manera habría confusión y la Mente Divina jamás está confusa.*

"Dios hizo este universo mecánico, como las plantas y la vida animal. Pero Él no estaba satisfecho. Él deseaba crear un ser el cual lo pudiera comprender y responder, por lo tanto creó un ser el cual tendría vida propia dentro de sí. Dios pudo hacer esto solamente para compartir Su naturaleza con este ser al cual Él le llamó hombre. Él lo hizo a imagen y semejanza Suya. El hombre debió de ser creado de Su misma Sustancia Eterna, para que él pudiera tener su verdadero ser y humanamente pudiera compartir Su naturaleza divina y pudiera tener vida real. Por lo tanto Dios hizo al hombre de la Esencia de Él mismo y vistió a esa Esencia con una forma definida.

"Y Dios dijo dentro de Sí Mismo después de haberlo creado: 'Si Yo deseo tener un hombre el cual sea un ser real, Yo debo darle a él libre albedrío. Él debe de ser espontáneo, no automático. Él deberá tener dominio sobre todas las cosas que tengan menos inteligencia que él. Yo le permitiré que le ponga nombre a todo lo que Yo he

creado y le permitiré que disfrute de todas las cosas, por-
que quiero que su vida sea llena y completa, si es que él
va a expresar Mi naturaleza'.

"Por lo tanto, Dios le dio al hombre dominio sobre
todas las cosas de la tierra. Al hombre no se le dio domi-
nio para gobernar el universo, pero le fue dado el dominio
para gobernar su mundo. Y Dios vio que todo lo que Él
había creado era bueno; muy bueno. ¿De qué otra forma
podría haber sido, desde el momento mismo que Él lo
creó? Siendo Dios todo lo bueno, Él sólo puede crear
cosas buenas. Brevemente esta es la historia de la crea-
ción. Tenemos que recordar que esta historia que hemos
escuchado muchas veces es narrada por una lengua hu-
mana, la cual solamente podemos imaginar. Pero vamos
a ver qué tanto de esto realmente tiene significado para
nosotros y qué tanto de esto podemos probar".

¿No es esto grandioso? Nuestro Padre-Celestial nos
puso en "charola de plata" todo lo necesario para que hagamos con nuestra vida todo lo mejor que queramos, pero
por lo general siempre existe la tendencia de condonar
los errores y debilidades diciendo: "Bueno, es que sólo
soy un pobre ser humano, además no soy el único; todo el
mundo comete errores". No se da cuenta este ser que el
mayor error es el creer que "sólo soy un pobre ser humano".
El Maestro Jesús vino a enseñarnos que no somos solamente seres humanos, sino que primeramente somos seres
Divinos, o sea espirituales. Tal vez muchos piensen que
el estándar Divino es demasiado elevado para poder ser
alcanzado. Pero el propio Jesús lo demostró plenamente

con todo lo que realizó y dijo que lo que él estaba hacien-do, todos nosotros también lo podíamos hacer, si tan sólo creyésemos y tuviésemos fe como Él la tuvo.

Debemos de aceptar que nuestra parte humana es sólo el grado que hemos alcanzado en la expresión de nuestra divinidad, por lo tanto somos humanos en expresión, pero Divinos en creación e ilimitados en potencialidad. Dicho en otras palabras: somos seres espirituales, vivien-do en un mundo físico, teniendo experiencias humanas.

Afortunada o desafortunadamente hemos estado vi-viendo más tiempo en lo superficial, tratando todo el tiempo de alcanzar metas artificiales, viviendo bajo fal-sas normas, conformándonos con los viejos patrones de pensamientos, de temores y limitaciones, sin darnos cuenta que la vida se vive de adentro hacia afuera y no vicever-sa. Lamentablemente hemos estado dando pasos equivocados. Pero nunca es demasiado tarde para reco-nocer y enmendar en lo que podamos nuestros errores y entonces caminar en dirección correcta.

Sigamos el consejo que el sabio Sócrates le dio a un viajero de la antigua Grecia que estaba extraviado y éste le preguntó: "*¿Cómo puedo alcanzar el Monte Olimpo?*" Sócrates le contestó: "*Sólo haz que cada paso que des vaya en esa dirección*".

Todo ser humano siente esa urgencia interior de su-peración, pero usualmente la llena en forma errónea, siguiendo una dirección equivocada. No conociendo que sólo hay un camino para lograr nuestro "*Monte Olimpo*" o sea el logro de nuestro desenvolvimiento espiritual

—la salvación de nuestra alma— y que es cambiando nuestro pensar; de lo malo a lo bueno.

Dejar de ver lo incorrecto por lo perfecto; no ver sólo lo humano sino también lo Divino en nosotros y en cada uno de nuestros semejantes; ver sólo la luz en vez de la oscuridad o como dijera Jesús: *"No juzguéis por la apariencia sino juzgad con justo juicio... porque con la vara que midiereis seréis medido".* Elevemos nuestro pensamiento sobre la ilusión o los efectos que estamos viendo con nuestros ojos físicos para poder ver la realidad —lo que es eterno e incambiable— a través de nuestra visión espiritual que sólo ve lo perfecto.

A través de todas las épocas el hombre siempre ha buscado por medios externos la felicidad y su seguridad, pero ha sido en vano. Ha tratado y cambiado invariables técnicas y usado distintos métodos. Ha diseñado y proyectado infinidad de cosas; sin embargo, sus logros han sido temporales y no permanentes. No se ha dado cuenta que dentro de sí mismo está el hombre interno con todo su potencial el cual permanece inalterable o como acertadamente dijera Emerson: *"Somos gigantes dormidos".* Cuando el hombre descubra su verdadera naturaleza —la cual es espiritual— y use su potencial, entonces podrá modificar todas sus condiciones externas. Al cambiar su conciencia verá con claridad su camino y tomará el rumbo correcto. Como el Hijo Pródigo de la Parábola, habrá renacido de nuevo.

El Apóstol San Pablo dijo: *"Transformaos por medio de la renovación de vuestro pensamiento".* (Romanos

12:2). Y el Gran Maestro Jesús nos dijo: *"De cierto, de cierto te digo, que el que no naciere de nuevo no puede ver el reino de Dios"*. Esto significa que al *"transformar"* o *"nacer de nuevo"* en nuestra forma de pensar, es como lograremos superar todos los retos que nos presenta la vida en nuestro diario vivir. Desde luego que no es fácil para el hombre en conciencia humana concebirse a sí mismo como un ser espiritual, pero si él se lo propone, con una firme y decidida actitud mental de lograrlo, él lo obtendrá.

Estamos viviendo en dos mundos paralelos: El mundo tridimensionado sea mundo de las formas y el cuatridimensional o sea mundo espiritual. Como seres humanos que somos, vivimos en un mundo físico-material en el cual nos rigen leyes civiles; leyes creadas por el hombre y si violamos una de estas leyes seremos castigados por ello. Por ejemplo; si tú manejas un automóvil y no respetas la señal de "alto", —o sea que no haces el alto requerido— tú te harás acreedor a una multa por algún agente de tránsito que te vea infringiendo la ley de tránsito que dice que donde haya una señal de alto, se debe de parar completamente y observar, y si viene otro vehículo debes de cederle el paso, porque de no hacerlo puedes ocasionar un accidente, atentando con ello contra tu vida y la vida de otros.

En otras palabras, tú deberás pagar la multa por haber violado la ley. Nuestra humanidad o cuerpo es impulsado a moverse por el espíritu o alma, el *"Aliento de Vida"* que hay en cada uno de nosotros. Por lo tanto, somos también seres espirituales y consecuentemente somos regidos por leyes espirituales, las cuales cuando las violamos o usamos en forma negativa, ellas nos dan por lógica resultados negativos. No es que las leyes nos castiguen sino que nosotros en nuestra ignorancia de ellas las accionamos en contra nuestra en vez de a favor y en esta forma nos autocastigamos. Estas leyes espirituales o mentales las usamos a través de nuestro pensamiento. Por esta razón es importante que siempre estemos pensando en forma positiva y constructiva para tener siempre sólo resultados buenos, que nos beneficien. Dentro de estas leyes la que más usamos con frecuencia es la Ley de Causa y Efecto; piensa bien, te irá bien y si piensas mal, te irá mal. Así de simple.

Como todos sabemos, tenemos una mente, por lo tanto vivimos en un mundo mental-espiritual que es un mundo de pensamientos, un mundo muy sutil pero real. El pensamiento es real; es forma en solución, creativo, es Poder. Nosotros no podemos movernos si no pensamos. Nuestro cuerpo humano en este plano, cesa de funcionar en el momento en que el espíritu en nosotros deja de vivir en él. Esta es una ley universal. Es un Principio que penetra y anima toda forma física.

Cuando este Principio de animación se remueve de la forma, empieza a desintegrarse y la energía o sustancia de lo que fue conformada, regresa a su Fuente o se transforma en otra cosa. Si nosotros sólo viviéramos en un universo mental-espiritual en el cual no hay forma, todo sería sólo como un sueño.

Pero nosotros estamos viviendo en un mundo físico-material de formas y al mismo tiempo en un universo de pensamientos, ideas y sentimientos. Así el universo que llamamos Poder Espiritual, requiere del mundo físico a través del cual Él se expresa o manifiesta.

En este mundo material de formas, él siempre está en un cambio continuo, por ejemplo: ¿Dónde quedó el niño que nació y fue bautizado? ¿Dónde está el joven que fue a la escuela y luego a la universidad? Y el hombre maduro de hoy. ¿Dónde quedó el que fue hace quince años? Nunca nadie podrá encontrarlo. Podemos tener una fotografía de él pero su persona física se fue como el viento en la noche o como el barco que se pierde en la lejanía.

Sin embargo, él está aquí contándonos su historia o experiencias por las cuales ha pasado, los cambios que ha habido en su vida. En cambio la parte espiritual en él nunca cambia; es una Realidad eterna e incambiable. Una paciente llega al consultorio de su doctor y le dice: "Doctor, vengo a que me haga un reconocimiento. Hace cinco años usted me operó de la vesícula y últimamente siento mucha molestia y tengo los mismos dolores anteriores." El galeno le responde: "Señora, la persona que yo operé hace cinco años, físicamente ya no existe; usted ahora es una persona nueva". Lógicamente el doctor hacía referencia a lo que el Dr. Murphy nos dice, que cada once meses nuestro cuerpo se renueva completamente. Sin duda alguna esta persona aún tenía en su mente el recuerdo de su operación y ella tenía muy arraigada la creencia de la enfermedad experimentada en su vesícula.

Tenemos un cuerpo el cual es una parte de la Realidad del Universo. Éste viene siendo el vehículo o medio por el cual el Espíritu se expresa. Nuestro cuerpo es muy sensible y nosotros debemos de cuidarlo, debemos de alimentarlo bien y adecuadamente, beber sólo bebidas saludables. Necesitamos de dormir de seis a ocho horas. Descansar cuando se ha tenido mucha actividad física y respirar apropiadamente al hacer ejercicio.

Nuestro pensamiento es el poder que penetra y moldea la forma a través de la acción de la Ley de la Mente. El Espíritu lo trasciende todo, y cuando lo reconocemos y nos unimos a Él, entonces nosotros tendremos todo el poder necesario para remodelar nuestro cuerpo, nuestra vida y nuestras experiencias a través de nuestro pensar correcto.

Charles Fillmore nos dice: *"Todo hombre, tarde o temprano, se hace esta pregunta: ¿Qué soy yo?—Dios contesta— Espiritualmente, tú eres Mi idea de Mí mismo, tal como Me veo en lo ideal; físicamente, eres la ley de Mi mente ejecutando esa idea... El hombre es una idea perfecta en la Mente-Dios. La Mente-Dios está tratando constantemente de expresar en cada hombre Su idea perfecta: el hombre único y verdadero... Este hombre, que es la perfecta idea de Dios, es tu verdadero ser. La Mente-Dios, bajo la ley del pensamiento, busca constantemente manifestar Su perfección en ti. Ella es tu espíritu y cuando buscas Su orientación y afirmación en contacto mental con Ella, Su manifestación aumenta grandemente en tu vida. Ella tiene tras sí, todos los poderes del Ser, y*

no hay nada que no pueda hacer si le das completo po-
der, y haces tus pensamientos lo suficientemente fuertes
como para expresar las grandes fuerzas que está bus-
cando expresar en ti".

Conclusión: Tú no sólo eres un ser humano, eres ante
todo un ser espiritual, Divino y perfecto.

Afirma con entusiasmo y fe:

YO SOY UN SER ESPIRITUAL.
UN HIJO DE DIOS; PERFECTO.
MI VERDADERA Y REAL NATURALEZA
NUNCA CAMBIA, NI SE DESGASTA.
ELLA ES POR SIEMPRE; ES ETERNA.

YO TENGO LA MISMA EDAD QUE TENÍA AYER.
TENGO LA MISMA VIDA;
LA MISMA MENTE; EL MISMO ESPÍRITU;
EL MISMO CUERPO.

'TODO LO QUE EL PADRE TIENE
ES MÍO AHORA' EL PODER DE DIOS EN MÍ,
NO TIENE EDAD NI CAMBIOS...
SIEMPRE ES EL MISMO.
ÉL TIENE INTELIGENCIA Y SABIDURÍA.

ÉL ES MI GUÍA Y DIRECCIÓN
Y TODO ESO YO SOY ¡AHORA!...
YO LO CREO, YO LO ACEPTO
Y YO SÉ QUE ASÍ ES.

¿CÓMO CURABA JESÚS?

A todos nosotros nos fueron vedados los métodos de curación o leyes universales que Jesús aplicó, haciéndonos creer que sólo él lo podía hacer porque él era el unigénito de Dios y nos hicieron creer que él era el Hijo único de Dios. Pero el significado de "unigénito" se refiere al hombre espiritual, el principio Crístico, la Divinidad del hombre. El "único hijo engendrado" es aquello que es engendrado únicamente de Dios y si somos *"Imagen y semejanza de Dios"* quiere decir que todos somos Sus Hijos, no únicamente lo era Jesús. El mismo Maestro lo dice muy claramente en su oración: *Padre Nuestro*. Que significa Padre de todos nosotros.

Asimismo, se hizo creer que era sacrílego indagar los designios de Dios y así fue aceptado por la mayoría. También que las grandes obras realizadas por Jesús fueron "milagros" y que el poder para hacerlos sólo se le había dado a él y a sus seguidores inmediatos. Pero esta versión es echada por tierra por el mismo Jesús cuando dijo: *"El que en mí cree, las obras que yo hago, él las hará también, y aún mayores hará, si tan sólo cree".* (Juan 14:12).

Y todo es debido a la interpretación errónea —más que todo, tomada literalmente— del Evangelio según San Juan 3:16 que dice. *"Porque de tal manera amó Dios al mundo, que ha dado a Su Hijo unigénito. Lo dio para que todo aquél que en él cree no se pierda, sino que tenga vida eterna".* Aquí San Juan nos está diciendo que el Amor de Dios es tan grande, Su sabiduría tan infinita, que Él le ha dado al hombre aquello que es Puro y Perfecto, aquello que es engendrado sólo de Él.

Por consiguiente no importa qué tan profundo haya caído el hombre, cuán frustrado pueda estar; él sigue siendo un Hijo de Dios y dentro de sí mismo tiene un potencial infinito, que cuando lo reconoce, como lo hizo el Hijo Pródigo de la Parábola, él despierta su innata y verdadera naturaleza y entonces es colmado de bendiciones por su Padre.

Jesús descubrió esto en él mismo —lo que era engendrado sólo de Dios, lo espiritual implantado en cada persona— y lo creyó tan completamente que trascendió la muerte demostrándolo con la resurrección a través del Cristo morador en él. Charles Fillmore cofundador del movimiento filosófico cristiano Unity nos dice al respecto de Jesús lo siguiente:

"Él fue más que Jesús de Nazaret, más que ninguna otra persona que jamás haya vivido en la tierra. Fue más que persona, según entendemos ese apelativo en su uso rutinario, porque en su humanidad intervino un factor que le es extraño a la mayoría de las personas. Este factor fue la Conciencia Crística. El desenvolvimiento de esta Conciencia por Jesús le hizo Dios encarnado, porque Cristo es la Mente de Dios individualizada. No podemos separar a Jesucristo de Dios ni decir dónde termina el hombre y empieza Dios en él. Decir que nosotros somos personas iguales que Jesús fue, no es exactamente cierto, porque él se había desprovisto de esa conciencia personal por la cual nos separamos a nosotros mismos de nuestro verdadero y Divino Ser... Conscientemente, él se hizo uno con el principio absoluto del Ser. Él probó en su resurrección y ascensión que él no tenía conciencia aparte de la del Ser, por lo tanto él era ese Ser para todos los fines y propósitos. Sin embargo, él no logró nada que lo que se espera de todos nosotros".

A través de los años, un número considerable de seguidores de Jesús ha tenido el valor de indagar los métodos curativos usados por él y han encontrado que esto es posible porque era y es tan sólo el uso correcto de las leyes universales las cuales son leyes mentales, espirituales y nos responden a todos por igual. Ellas son matemáticas, impersonales, e inquebrantables y eternas. Estas leyes son las que nos gobiernan en nuestra vida, ellas son accionadas por nosotros mismos mental y constantemente, ya estemos conscientes o no de ellas.

Cada pensamiento que tengamos —tú debes de saber que mientras estemos despiertos estamos pensando—, cada declaración que hagamos, estará poniendo en movimiento una ley que sólo obedece fielmente a lo que hayamos elegido, sea verdadero o falso, bueno o malo; ello quedará registrado en nuestro subconsciente y consecuentemente vendrá un resultado. Si el pensamiento o declaración es negativo, entonces se manifestará en algo desagradable como una enfermedad en nuestro cuerpo o un ambiente nada grato. La ignorancia de la ley no nos exime de los resultados.

Cuando usamos estas leyes llenando los requisitos basados en el amor, entonces todos obtendremos resultados que nos benefician. Lógicamente sólo deseos que nos den felicidad, tanto para nosotros como para los demás. En esta forma habremos llenado también los requisitos de "La llave de oro" que nos dice: "*Así que, todas las cosas que queráis que los hombres hagan con vosotros, así también haced vosotros con ellos; porque esto es la ley y los profetas*". (Mateo 7:12). Jesús se refería a la ley de compensación, la cual nos da exactamente aquello que estemos dando. Por ejemplo; si yo quiero lo mejor para mí, también tengo que desear lo mejor para los demás. Si yo deseo que me aprecien, primero tengo que apreciarme yo mismo y luego apreciar a los demás —esto no es ser egocéntrico, sino demostrar cómo la ley trabaja.

Esta investigación nos ha llevado a la conclusión de que el hombre y el universo se fundamentan en la mente y que todo cambio, ya sea para bien o para mal, es producto de nuestra mente. Todo el pensamiento acumulado durante siglos sobre la realidad del mundo externo ha hecho evolucionar una atmósfera mental que ha producido la condición del mundo material en el cual vivimos. Por lo tanto nuestros pensamientos deben de estar bien equilibrados, pues ellos se reflejan en nuestras relaciones personales y en los sucesos cotidianos de nuestras vidas. Igualmente forman parte del pensamiento colectivo, que lógicamente también se refleja en nuestras comunidades, nuestra nación y en nuestras relaciones con otros países y aun con nuestro planeta.

Éstos y otros numerosos conceptos han sido la creación del hombre y no de Dios como es la suposición general. No obstante todos descansan en la Mente-Dios que es la que origina todo, y todo aquel que se libera de su confusión mental acerca de lo material y se identifica con la Mente Divina que es el Espíritu, entonces podrá restituir a la ley y el orden perfectos de esta Mente. Hará el gran descubrimiento como el propio Jesús declaró: *"Conoceréis la verdad y la verdad os hará libres".* (Juan 8:32).

Pero, ¿cuál verdad y cuál libertad? La Verdad a la que aquí se refiere Jesús es la que nos libera de las propias ataduras que nos hemos hecho nosotros mismos, por nuestra ignorancia o desconocimiento de nuestra verdadera identidad. Se refiere a que cuando conocemos esta Verdad, ella nos libera de toda falsa creencia o sugestión y entonces somos liberados para siempre de las enfermedades, pobreza y toda clase de carencias y limitaciones.

Cuando conocemos la Verdad, y reconocemos que somos Hijos de Dios, entonces seremos colmados de bendiciones por Él. Cuando el Hijo Pródigo volvió en sí, y reconoció la Verdad que él era hijo de un padre rico, entonces él se dijo a sí mismo: *"No tengo necesidad de seguir sufriendo y careciendo de todo. Volveré a mi padre y le pediré perdón por mi mal comportamiento".* Y su padre, al ver que su hijo había regresado, lleno de felicidad, ni siquiera escuchó lo que él le estaba diciendo. Fue tanta su alegría que hizo matar el becerro más gordo y organizó una gran fiesta para festejar el regreso de su hijo, colmándolo de bendiciones.

Esta historia es nuestra propia historia. De una u otra manera todos nosotros hemos sido hijos pródigos al separarnos de nuestra Fuente de abastecimiento que es Dios. Y cuando lo reconocemos como nuestra Fuente Infinita de provisión y todo Bien, entonces somos colmados de todo lo bueno que Él tiene para nosotros. Al llenar nosotros nuestras "necesidades", entonces podremos compartir con los demás y ayudarles a seguir el camino correcto que nos señalara Jesús.

Retomando nuevamente al Evangelio de San Juan; *"El que en mí cree, las obras que yo hago, él las hará también",* esto significa que si nosotros tenemos fe, creencia y convicción como la tuvo Jesús, si reconocemos y aceptamos este potencial innato en nosotros mismos; el Cristo Morador, entonces no habrá quien pueda impedir nuestra demostración.

Jesús descubrió su propia divinidad y su relación especial con Dios. Descubrió que a través de la fe podemos abrir las puertas de la inagotable Fuente-Dios, quien nos provee de ideas que fluyen a través de nuestra mente y a través de las cuales nosotros somos provistos. Esta percepción también nos lleva a una mayor comprensión del hombre Adán, el cual representa lo humano y limitado en nosotros. Asimismo, descubrimos que nuestra potencialidad está en lo espiritual y éste no tiene límite.

Para el Maestro no existía diferenciación de personas, él sanaba no sólo al pobre sino también al rico, no sólo al necesitado sino también a todo aquél que acudía por ayuda. Él sanaba toda clase de enfermedades, no ciertas enfermedades, él sabía que el Espíritu que mora en cada uno de nosotros no reconoce enfermedades ni necesidades y cuando les preguntaba: *"¿Tú crees que yo pueda sanarte?"*, al responder sí; entonces él estaba externando lo que ya existía dentro de la persona: "El Patrón Divino de Perfección" el cual se manifestaba en el cuerpo y lo sanaba. Lo que antes estaba atado por el pensamiento erróneo de la enfermedad, al reconocer Jesús la Verdad en la persona, liberaba la energía de perfección existente y así resurgía el ser, expresando su verdadera e innata herencia divina: La salud perfecta.

Sin lugar a dudas, estas curaciones hechas por Jesús fueron a través de medios espirituales. No obstante, la iglesia las ha visto con desaprobación y en ocasiones lo han considerado sacrílego. Sin embargo, ellos mismos nos incitan a creer en Jesús como nuestro Salvador y que sólo a través de él, nosotros podremos ser escuchados por Dios; pero el mismo Jesús nos dice que también nosotros podíamos hacer lo que él estaba haciendo si tan sólo creíamos (Juan 14:12). Luego Jesús nos dice: *"Venid, benditos de*

*mi Padre, heredad el reino preparado para vosotros des-
de la fundación del mundo"* (Mateo 25.34).

Esto significa que nuestra herencia y el reino a que
se refiere Jesús están dentro de nosotros mismos; implantado en nuestro propio ser desde el momento mismo de
nuestro nacimiento. Que al reconocerlo y aceptarlo, entonces podremos lograr todo lo bueno que nuestro
Padre-Celestial nos tiene preparado para disfrutar plenamente la vida, que es Su Vida en nosotros. También se
nos enseña que, Dios está en el cielo, en la tierra y en
todo lugar. Si así lo creemos y aceptamos quiere decir
que en el mismo lugar en que nos encontremos ahí está
Dios. Por lo tanto no tenemos que ir a ningún otro lugar o
sitio específico para hacer contacto o comulgar con Él.

San Pablo lo dice muy claramente y está escrito en
cada Biblia: *"El Dios que hizo el mundo y todas las cosas
que en él hay, siendo Señor del cielo y de la tierra, no
habita en templos hechos por manos humanas, ni es hon-
rado por manos de hombres, como si necesitase de algo;
pues Él es quien da a todos vida y aliento y todas las
cosas... para que busquen a Dios, si en alguna manera,
palpando, puedan hallarle, aunque ciertamente no está
lejos de cada uno de nosotros. Porque en Él vivimos, y
nos movemos y somos; como algunos de vuestros propios
poetas también han dicho: Porque linaje suyo somos".*
(Hechos 17:24-28).

Nuestro principal problema estriba en que hemos sido
mal informados acerca del concepto Dios. La mayoría de
las veces las personas se aferran al Dios que enseña el

Antiguo Testamento, un Dios "fuera" de nuestro alcance, colérico, vengativo; quien algunas veces era bondadoso y otros cruel. Un Dios que estaba "en el cielo" y a quien íbamos al morir. Pero nada de esto es verdad. El Antiguo Testamento, al igual que el Nuevo Testamento no es más que la historia del desenvolvimiento de nuestra propia vida y de la idea que tenemos acerca de Dios y de nuestra relación con Él.

Eric Butterworth, Ministro de Unity describe lo siguiente: *"En el Israel pre-Mosaico se concebía a Dios como vinculado a los sitios, altares, árboles, pilares, pozos y otros objetos naturales. Y Moisés popularizó el Arca que se suponía que albergaba a Dios. Lo llevaban con ellos de un lado para otro en el Arca. Si el Arca era capturada, simplemente no podían ganar la batalla. Más tarde, el Arca recibió un lugar fijo en el Templo. Así, el Templo se convirtió en 'la casa del Señor'. Esa idea aún persiste hoy. Tropeles de personas se vuelcan en las iglesias, los templos, las sinagogas, porque esa es la manera de acercarse a Dios".*

Pero Jesús, el Gran Maestro descubrió el gran secreto, que Dios no estaba fuera sino dentro. Él sabía que había algo más grande que todo, un Poder que era ilimitado, indestructible, eterno; y sintió que él podía aferrarse a este Poder para poseerlo y demostrar al mundo que todos nosotros eramos parte integral de este Ser Supremo. Él lo llamó: *"El Padre en mí"*. Jesús nunca se adjudicó un milagro, —refiriéndose a las curaciones y demás demostraciones realizadas— ni tampoco dijo que él era el único que podía hacerlo y lo expresó de esta manera: *"Las palabras que yo os hablo, no las hablo por mi propia cuenta, sino el Padre que mora en mí, Él hace las obras".* (Juan 14:10).

También lo llamó el Reino de Dios y dijo: *"Buscad primero el reino de Dios y su justicia y todo lo demás os dará por añadidura".* (Mateo 6:33). Jesús encontró este reino y vivió siempre en él y por esta razón todo lo que decía se le concedía. Es el significado de *"todo lo demás os dará por añadidura".* En una ocasión se le preguntó que cuándo llegaría este reino a nosotros y él sabiamente contestó, que el reino llegaría en el momento mismo en que cada cual lo reconociera y aceptara, porque este reino estaba justo en el centro de nuestro propio ser, él dijo: *"...El reino de Dios no vendrá con advertencia, ni dirán; Helo aquí, o helo allí; porque he aquí el reino de Dios está entre vosotros".* (Lucas 17:20). Por consiguiente nuestro trabajo consiste en tan sólo tener fe, creencia y aceptación de Él y entonces disfrutaremos plenamente de nuestro reino como lo hiciera el propio Maestro.

Claro que para nadie es fácil el poder lograrlo de la noche a la mañana. Esto requiere de una disciplina y de un real y sincero deseo por poseerlo. Mediante la oración y la meditación podremos lograrlo. Recordemos que Jesús estuvo luchando —consigo mismo— para poder vencer las tentaciones humanas que en él había, —sus propios pensamientos de la conciencia racial, establecidos en su subconciencia— y para lograrlo él estuvo trabajando en ello durante dieciocho años. Él luchó según su historia, durante cuarenta días y cuarenta noches en el desierto y al fin se venció a sí mismo y entonces salió a compartir con todos su logro.

Él trascendió lo humano y se sumergió en el Espíritu, —lo Divino en nosotros— la Fuente de nuestra verdadera e innata herencia Divina. Así, en su logro lo encontramos diciendo: *"Mi Padre y yo somos uno"*. Con plena conciencia de su unidad con el Todo-Poder, la palabra que él expresaba ya no era desde su nivel humano, —o intelectual— sino con plena convicción de que él era sólo un canal por el cual Dios, su Padre, era quien hacía el trabajo. De ahí que él se sintiera con una confianza plena en cada declaración y demostración que hacía, porque estaba completamente convencido que Dios, nunca falla; Somos nosotros —la parte humana— el ego personal, los que le fallamos a Dios al no permitirle ser sus canales perfectos de expresión, como lo fuera Jesús.

Pero no debemos desanimarnos, por el contrario, debemos de alegrarnos porque hemos encontrado el "camino", "la brecha" que nos abriera el Maestro para nuestro logro. Sólo sigamos sus pasos, sabiendo que nunca es tarde para empezar. ¡Hoy es el día! Cada día es un nuevo día para la siembra de lo que queramos cosechar. La Biblia lo dice: *"Hay un tiempo para sembrar, y un tiempo para cosechar"*. Escojamos bien nuestras semillas, "pensamientos" para poder tener una cosecha abundante de cosas que nos den felicidad, riqueza, éxito, salud y paz mental. Todo esto existe ya en nuestro reino, al hacer contacto con él, entonces *"todo lo demás nos será dado por añadidura"*, esta es una promesa —una Ley Divina que no sabe de fallas.

Cuando lo hayamos logrado, entonces podremos hacer lo que el Maestro hacía. Podremos ayudar a nuestros semejantes a sanar no sólo de sus enfermedades físicas sino también de sus necesidades financieras y en sus relaciones con los demás. Es muy importante que sepas que no podemos dar lo que no tenemos y por esta misma razón primeramente tenemos nosotros que lograr satisfacer nuestras propias necesidades para poder ayudar luego a los demás.

Esto no necesariamente significa que debemos satisfacer completamente todas nuestras necesidades, o que seamos egoístas, sino que en cada demostración que vayamos teniendo, podemos ir compartiendo nuestros logros y al hacer esto, iremos incrementando y también abriendo más los canales por los cuales la abundancia del Universo que está a nuestra disposición encuentre la "avenida" lista para su expresión a través de nosotros.

Afirma para ti mismo:

YO AHORA ENTRO AL REINO DE DIOS
Y SU JUSTICIA Y TODO LO DEMÁS
ME ES DADO POR AÑADIDURA.
TODAS MIS NECESIDADES
SON CUBIERTAS SIN DEMORA.

YO DEPENDO ÚNICA Y EXCLUSIVAMENTE
DE MI FUENTE INAGOTABLE DE
TODO BIEN QUE ES DIOS EN MÍ.
YO RECIBO SALUD, RIQUEZA,
BIENESTAR Y FORTALEZA.

YO SOY UNA UNIDAD CON MI CREADOR
Y ÉL SE EXPRESA A TRAVÉS DE MÍ;
ME BENDICE Y ESTA BENDICIÓN
SE EXTIENDE HACIA TODOS AQUELLOS
QUE ME RODEAN.

GRACIAS DIOS, POR TU INFINITA BONDAD
PARA CONMIGO Y TODOS MIS SEMEJANTES.
GRACIAS POR PROVEERNOS DE TODO
LO NECESARIO PARA
EXPRESARTE PLENAMENTE.

LA UNIDAD; EL GRAN "SECRETO"

Espiritualmente todos nosotros estamos unidos con el Espíritu Divino quien infunde Su propia Vida en nuestras mentes y cuerpos ya estemos conscientes o no de ello. Desafortunadamente la mayor parte de nuestra vida la vivimos mentalmente alejados de este Espíritu que es a la vez Padre-Madre, o nuestro creador y hemos perdido el contacto con Sus corrientes revitalizadoras, nuestra Fuente de todo lo bueno.

Jesús se identificó con nosotros y, a través de él la raza humana comenzó a derivar otra vez vitalidad del gran manantial que él había descubierto y que está en el centro de nuestro propio ser. Esta habilidad de incorporarnos a la corriente de vida nos trae vitalidad permanente, y nuestro cuerpo se mantiene siempre fortalecido y sano. Nuestras relaciones con los demás permanecen armoniosas. Esto se logra manteniendo nuestros pensamientos y palabras en forma positiva y constructiva. Estos impulsos mentales inician corrientes de energía, las cuales forman y estimulan nuestras células y moléculas quienes producen en nosotros vida, energía y entusiasmo, ahí donde parecía dominar la impotencia e inercia.

Esta unidad con el Absoluto era y sigue siendo el "secreto" o método curativo de Jesús. A pesar de que la Biblia en repetidas ocasiones hace referencia al poder creativo que tiene la Palabra; quienes lo hayan sabido no se atreven a pensar que la Ley Creativa es universal, impersonal e inviolable y que responde a todos por igual, ya sea para pensamientos creativos o destructivos. Si aprendemos a disciplinar nuestros pensamientos y palabras, centrándolos en la Mente Divina —Espíritu, Dios—, entonces obtendremos sólo cosas deseadas y no lo opuesto. Jesús le dio al Padre —como le llamaba a Dios— toda su atención, tanto que afirmó que las palabras que él expresaba venían del Espíritu y dijo: *"Las palabras que yo hablo, son espíritu y son verdad".*

Mediante una disciplina impuesta por él mismo, Jesús logró una unidad consciente total con la Mente Creadora. Tan grande fue esta realización que su cuerpo se transformó en presencia de sus discípulos. Una de sus enseñanzas fue que el hombre recogería la recompensa de cada palabra que pronunciara, él lo dijo de esta manera: *"Por tus palabras serás justificado y por tus palabras serás condenado".*

Se nos ha dicho que Jesucristo era la Palabra o el Logos Divino, que significa el original poder creativo y por esta razón cuando él expresaba su palabra, la Ley Creativa del Universo actuaba sobre ella manifestándola instantáneamente. Jesús mentalmente estaba despojado de su humanidad. Él estaba consciente en todo momento de su unidad con su Padre. Su intelecto ya lo había educado al grado que éste cooperaba con él, no interfería en sus actitudes. Por esta razón él dijo: *"De por mí, nada puedo, es el Padre en mí el que hace las obras"*.

El Maestro descubrió la verdad de que el hombre es Divino, por lo tanto uno con su Fuente-Dios. Él sabía que él sólo era el canal por el cual el Padre hacía el trabajo o que, *"con Dios todas las cosas son posibles"*. Así lo demostró sanando a todo aquel que acudía a él. Éste fue el método —su unidad con Dios— y este gran "misterio" fue escondido por épocas y generaciones, haciéndonos creer que Jesús era el único que podía hacer contacto con Dios.

Al descubrir Jesús su propia Divinidad, él la vivió y expresó tan vívidamente que sólo veía en todo hombre la divinidad, el potencial e innata perfección. Su mente ya espiritualizada hacía despertar esa imagen de perfección —la cual todos tenemos en la Mente de Dios— y ésta se manifestaba en el cuerpo físico de todos los que acudían a él en busca de curación. La energía de perfección que emanaba del Maestro, sumergía el alma de la persona a tal grado que el hombre perfecto e íntegro resurgía instantáneamente.

En su unidad con la Totalidad, Jesús nos describe algo muy interesante cuando dice en Mateo 12:46.

Alguien vino a Jesús y le dijo: *"Tu madre y tus hermanos están afuera y te quieren hablar"*. Él contestó: *"¿Quién es mi madre y quiénes son mis hermanos?, y extendiendo su mano hacia sus discípulos dijo: He aquí mi madre y mis hermanos"*. Lógicamente Jesús no estaba negando a su madre y a sus hermanos, él se refería a que en nuestra unidad de conciencia cósmica, nosotros estamos unidos, y no hay diferenciación entre hombres o mujeres, denominación, creencias o raza; porque todos formamos una sola unidad. Jesús no veía personalidades, sólo divinidades —el Ser espiritual perfecto— en hombres y mujeres, conformando ambos una sola unidad.

En nuestro nivel de conciencia humana, nosotros mismos hacemos las separaciones como: éste es hombre, aquélla es mujer; él es pobre, aquél es rico; éste es bajito, aquél es alto; él es blanco, aquél es negro; éste es oriental, aquél es de occidente, etcétera. El Apóstol Pablo define la unidad como: *"En Dios vivimos, nos movemos y tenemos nuestro ser"*. Walt Whitman, el poeta norteamericano dice: *"En todos los hombres yo me veo a mí mismo. Ni un grano más ni un grano menos. Y el bien o el mal que digo de ellos lo digo de mí"*. Y nuevamente el Gran Jesús nos dice: *"En cuanto lo hicisteis a uno de estos mis hermanos más pequeños, a mí lo hicisteis"*. (Mateo 25:40).

Nuestra unidad con Dios es eterna y nunca podremos separarnos de Él, porque nosotros somos una individualización Suya. La *"aparente"* separación que muchas de las veces sentimos, es por medio de nuestra mente humana. Por ejemplo; cuando tú dices: "yo lo hago con mi propio esfuerzo; si yo no lo hago, nadie lo puede hacer; yo soy el único que hace bien las cosas; yo estoy sobre todas las personas y cosas; yo soy superior a cualquier otra persona, etc." En esta conciencia, el hombre es como se separa de su Fuente. Es como si se encontrara en una habitación y apagara la luz, él se quedaría a oscuras; podría tropezarse y hasta lastimarse. Pero él puede salir de esa oscuridad que él mismo ha creado con el simple hecho de encender nuevamente el interruptor o sea reconociendo su verdadera naturaleza o esencia.

De esta sencilla y simple forma como ha salido de la oscuridad, el hombre también puede conectarse siempre con Dios su Fuente de Luz y Energía, reconociendo y aceptando que de Él nos proviene todo. Que cuando somos uno con el Poder, entonces nos volvemos sus canales limpios de expresión y en esta forma seremos bendecidos con abundantes cosas buenas. Meister Eckhart nos dice lo siguiente: *"Dios espera una sola cosa de ti y esa es que dejes de pensar de ti mismo como un ser creado y permitas que Dios sea Dios en ti"*.

Tú debes de saber que Dios es personal para cada cual. Él se expresa a través de nosotros de acuerdo a la aceptación que tengamos de Su Presencia. Declara: *"Yo afirmo que el Principio de Vida me sostiene, y este Principio se expresa como yo, como mi vida, Dios expresándose a través de mí, como yo"*. Así es como nos lo hace saber Jesús al decir: *"Yo y el Padre uno somos"*. La importancia de todo esto es reconocer nuestra unidad con la Totalidad, vivir en esa conciencia de unidad como vivió Jesús, sin diferenciación alguna de color, raza o credo; sin juzgamiento ni envidia, celos o resentimientos, porque todo esto nos aísla de la Fuente de salud y provisión.

El ser humano en general, ha vivido más tiempo inclinado y sujeto a lo material, porque ésta ha sido la enseñanza que ha recibido. Él ha aprendido a través de sus cinco sentidos y muy en particular a través de su vista. Por esta razón él acepta lo bueno y lo malo y por consecuencia en su vida experimenta ambas cosas. Él desconoce el potencial que lleva dentro, la mina de oro de donde él puede extraer todo lo que necesite para vivir una vida plena. Él sólo está percibiendo una parte de lo que él es, pero el total de su vida es completa, a pesar de su ignorancia. Indudablemente que para todos existe un tiempo determinado en el cual encontramos la Verdad que nos libera de la esclavitud de nuestro erróneo pensar. Realmente nadie es ignorante, porque dentro de cada uno de nosotros hay inteligencia y sabiduría. Lo que sucede es que algunos lo reconocemos y otros aún no lo han hecho y por esta razón no debemos de juzgar a ésos que están en la búsqueda. Jesús nos previene diciendo: *"No juzguéis según las apariencias, sino juzgad con justo juicio"*. (Juan 7:24).

También Shakespeare nos dice: *"Nada es bueno ni malo, sólo el pensar lo hace así"*. Esta actitud de nuestra mente nos sugiere que debemos desarrollar una percepción interna, espiritual, para no juzgar por las apariencias que ven nuestros ojos —nuestra visión externa— sino que debemos de *"ver"* con nuestra vista interna —con nuestra percepción espiritual— para poder ver sólo lo bueno, lo verdadero, lo real, lo que nunca cambia porque es eterno y es *"ver"* a Dios en todo y en todos.

Desde luego que para lograr esto es necesario mantener nuestros pensamientos y sentimientos bajo control. Sabemos que para nadie es fácil ver lo bueno en lo malo, la salud en la enfermedad, la riqueza en la pobreza, la felicidad en la desdicha. Pero si elevamos nuestra vista, de lo material a lo espiritual, sería tanto como cambiar de sintonía a nuestro radio, de AM a FM; experimentaremos sólo lo claro y lo perfecto. En esta forma nos libramos del ruido de la estática producida por las ondas AM y experimentamos claridad y perfección de sonido por la sintonía de ondas FM, sin distorsión alguna.

Cada uno de nosotros somos una parte de Dios, una expresión de la Mente Única, una encarnación del Espíritu-Dios; y por consiguiente cada uno de nosotros poseemos el potencial que tiene el Total. Pero este potencial solo lo podremos desarrollar estando conscientes de ello, como lo hiciera el Maestro Jesús; él lo dijo declarando así: *"El que me ha visto a mí ha visto al Padre"*. Él ya había reconocido y aceptado que el poder que había descubierto no era mas que Dios expresándose a través de él mismo. Jesús era la Palabra de Dios encarnada y actuando como Jesús, el Hombre Divino desprovisto de lo humano y limitado.

"Ver con el ojo sencillo", con *"recto juicio"* es *"ver"* desde nuestra conciencia-Dios. En esta conciencia sólo puedes percibir belleza y rectitud; estás siendo *"puro de*

corazón" o como también lo dijera Jesús: *"Bienaventu-rados los de limpio corazón; porque ellos verán a Dios"* —lo Bueno, lo Bello y lo Perfecto.

Cuando aprendamos a *"ver"* desde esta conciencia-Dios en nosotros, entonces podremos ver más allá de las apariencias y sabremos discernir que atrás de la apariencia está la realidad, lo perfecto. Veremos como vio el Maestro a Dios en todos los hombres. Él nunca aceptó ver al hombre parcial, débil o imperfecto por ser un pecador; sino al hombre íntegro, proveniente de la Fuente-Espiritual de Vida-Eterna. Esta visión espiritual desarrollada por Jesús fue la llave que abría la puerta al poder sanador que mora en todo hombre y que el *Padre* en él hacía el trabajo.

Para el hombre común de hoy como lo fue antes, es casi imposible considerarse digno de ser llamado Hijo de Dios, porque se cree muy "poca cosa", él, muchas de las veces se menosprecia a sí mismo llamándose "pecador" y hasta "gusano de la tierra". Toda esta fútil información está establecida en su subconciencia, procedente de la conciencia racial de todas las eras, de todos los tiempos y mientras no deseche esa creencia él será presa fácil del sufrimiento y limitación.

Por lo tanto no es fácil para él contemplar algo tan abstracto e inmaterial como ser considerado un Ser Espiritual, Puro y Perfecto. Pero Jesús nos dice que no importa que tan bajo y hondo haya caído el hombre, él puede resurgir nuevamente a la superficie mediante el arrepentimiento y el perdón, y así poder virar hacia una transformación —en su manera de pensar y creer. Al despertar a su verdadera realidad como lo hiciera el hijo pródigo de la parábola, o como lo dijera San Pablo en Romanos 12:2. *"Transformaos por medio de la renovación de vuestro entendimiento".*

Muy al caso considero la anécdota contada por el Ministro Erick Butterworth acerca de la mariposa y la oruga. Él nos dice: *"Considera la sencilla oruga. Es evidente que la oruga y la mariposa viven en mundos totalmente diferentes, y nadie diría que una oruga es una mariposa ni que una mariposa es una oruga. Y sin embargo, sabemos que la oruga y la mariposa son sencillamente distintos niveles de expresión de una entidad. La oruga puede volar, pero no como oruga —solamente como mariposa.*

"Tiene el potencial, pero algo tiene que sucederle... Una oruga levantó la vista y vio una mariposa revoloteando, movió su cabeza tristemente y dijo, 'nunca me podrán coger por allá arriba en uno de esos artefactos'. ¡Y es muy cierto! La oruga decididamente no puede levantarse en vuelo. Pero, según la oruga cambia su forma externa, entra en un nuevo mundo. De pronto hay un nuevo juego de principios funcionando y puede liberar una potencialidad totalmente nueva".

En este simple ejemplo, podemos ver cómo la naturaleza actúa en los animales haciendo que todo tenga una nueva transformación, un nuevo crecimiento o evolución. Del mismo modo sucede en nosotros, Dios estableció el poder que nos ayuda e impulsa para superarnos en todas las etapas de nuestra vida, como el logro de la completa emancipación sobre todas las adversidades, hasta alcanzar la completa evolución o el fin por lo que estamos aquí ahora en este plano terrenal. Así como el Maestro Jesús luchó consigo mismo hasta lograr su objetivo —lograr el dominio de sus propios pensamientos y sentimientos; alcanzando la Conciencia Crística y estableciendo con ello su continua unidad con El Absoluto— así nosotros podemos encontrar esta unidad consciente y permanente con Dios. Entonces juntos con Jesús afirmaremos también: *"CON DIOS, TODAS LAS COSAS SON POSIBLES"*.

Jesús descubrió la Divinidad del Hombre y lo demostró en su propia persona. Él usó este potencial que no tiene límites para ayudar a sus semejantes y nos incitó a seguirle. Él dijo: *"Este Poder ya está en ti, tú no necesitas pertenecer a cierta iglesia, o tener una religión determinada para poseerlo, tú no necesitas pedirle a otro este Poder porque Él siempre está a tu disposición ahí mismo donde tú estás ¡ahora! Sólo tienes que reconocerlo y hacer uso de Él y Él te responderá"*. Este Poder es el Espíritu de Dios en ti y en mí y cuando lo reconocemos nos estamos uniendo a Él y en esta unidad encontramos lo proclamado por Jesús en su iluminación: *"Yo y mi Padre somos uno."* Tú debes de saber que estamos rodeados por un mundo de efectos los cuales fueron producto de una causa y toda causa proviene del Espíritu invisible que no pueden ver nuestros ojos físicos.

Por lo tanto tú eres uno con el Espíritu y no puedes separarte de Él, de la misma forma que la gravedad no puede separase de ti, estés consciente de ella o no. Al creerlo y aceptarlo, entonces tu palabra tiene poder, porque tu palabra es la acción de Dios a través de tu pensamiento.

Encontramos este maravilloso tratamiento que nos legara el Dr. Ernest Holmes que dice:

"Hoy, yo aclaro mi visión y purifico mi pensamiento, para que éste se convierta en un espejo que refleje directamente la inspiración desde ese lugar secreto del Más Alto el cual está en el centro de mi propio ser. Yo hago esto en contemplación silenciosa; no mediante un esfuerzo supremo sino absteniéndome de toda negación y alimentándome de toda afirmación de la realización espiritual. Yo necesito no frustrarme frente a los golpes de cualquier confusión que exista en mí alrededor. Hoy yo camino en la luz del Amor de Dios. Yo soy guiado y mi guía se multiplica. Hay inspiración dentro de mí y ella gobierna cada acto, cada pensamiento... en la certeza, con convicción y en paz. Yo sé que la llave que abre la casa del tesoro, la llave del Reino de Dios está en mi mano espiritual y yo entro y experimento este Reino hoy. Este es el Reino de la creación de Dios... Y así es".

¿Acaso no es todo esto fácil de comprender? ¿No lo pondrías tú en práctica este día? Tú no tienes que convencer a nadie sino a ti mismo de esta verdad.

Acepta tu herencia divina. Acepta lo que Dios ya te ha dado por derecho divino, como se nos dice en Lucas 15:31: *"Hijo, tú siempre estás conmigo y todas mis cosas son tuyas".*

Por lo tanto, créelo, acéptalo y así será hecho para ti. ¡Jamás lo dudes! Jesús lo dice claramente: *"Te será dado en la medida en que tú lo creas"*.

Afirma de la siguiente manera:

YO DE POR MI NADA PUEDO,
PERO EL PADRE EN MÍ ÉL HACE EL TRABAJO.
YO SOY UNA UNIDAD CON
MI PADRE-CELESTIAL;
CON ÉL TODAS LAS COSAS SON POSIBLES.
NO HAY OPOSICIÓN PARA MI BIEN.

EN EL MUNDO DE DIOS,
DONDE YO AHORA VIVO, TODO EXISTE.
YO VIVO EN EL REINO DE DIOS Y SU JUSTICIA;
POR ESTA RAZÓN YO NO CAREZCO DE NADA.
MI VIDA ESTÁ LLENA DE TODO LO BUENO.

¡TODO LO QUE DIOS TIENE, YA ES MÍO,
AHORA!... Y ASÍ ES.

SÓLO TÚ SALVAS
tu ALMA

El nacimiento de Jesús según nos dice la Biblia, fue para salvar a la humanidad de su extinción, como lo afirma el Apóstol San Pablo: *"Así como en Adán[1] todos murieron, así en Cristo[2] todos tendrán vida".*

"Cristo en ti, tu esperanza de gloria", dice San Pablo. Pero él no se está refiriendo a Jesús el hombre. Jesús descubrió El Principio Crístico dentro de él mismo y así lo reveló, que este Principio Crístico estaba incluido en

---

1. *Adán, el hombre, metafísicamente interpretado simboliza: En un sentido no regenerado. AntiCristo; el hombre que tiene fallas porque está fuera de su espiritualidad. Originalmente, Adán fue iluminado espiritualmente por Dios. El hombre Adán, —lo humano en nosotros— fue primitivamente identificado con una infinita capacidad de expresión. Cuando él reconoce su identidad como ser espiritual, entonces expande su divinidad y hace visible todo lo bueno que el universo tiene para él.*

2. *Cristo simboliza el principio de encarnación de Dios en el hombre. La Palabra de Dios individualizada. Es el patrón Divino de perfección que mora dentro del hombre mismo; es el Hombre Divino. Cristo no es una persona, sino Un Principio. Cristo es un nivel de la particularización de Dios en el hombre, el punto focal a través del cual se proyectan todos los atributos de Dios a la vivencia.*

toda la humanidad. Implantado en cada uno de nosotros —la imagen de perfección que Dios tiene de cada uno de nosotros. Jesús, el hombre, es el nombre que representa una expresión individual de la Idea Cristo. Estudios psicológicos de todo esto nos prueban que es virtualmente cierto.

No confundas el concepto de afirmar el Cristo interno con la aceptación tradicional de Jesucristo, porque Jesús El Cristo, fue el hombre que alcanzó la Conciencia Crística, el hombre que se volvió Divino al encontrar su unidad con Dios. Él descubrió el potencial innato que existe dentro de todos los hombres, no solamente en él mismo. Cristo es la autovivencia de Dios en el hombre. Es la relación individual de unidad permanente entre Dios y el hombre.

Cristo es la imagen de perfección de la Creación Divina que existe en cada uno de nosotros. El Maestro estaba tan consciente de ésta su unidad con su Padre, que en su conciencia Crística no existía separación alguna de todo lo creado por Dios, y eventualmente no podríamos decir dónde empezaba el uno y terminaba el otro. Tú debes de clarificar muy bien en tu mente estos conceptos para que no exista ninguna duda o confusión acerca de Jesús el hombre, y Cristo la perfección divina en cada hombre y mujer; por ejemplo:

1. Jesús: Fue el hombre humano como tú y yo.
2. Jesucristo: Representa a Jesús, El Cristo; el hombre que alcanzó la Conciencia Crística. Nuestra unidad permanente con Dios.

3. Cristo: Es la Idea perfecta que Dios tiene en Su Mente de Su creación, —cada uno de nosotros— una individualización de Sí Mismo. Dios tiene el poder de multiplicarse a Sí Mismo, mas no se divide.

Recuerdas cuando Jesús le preguntó a sus discípulos: *"¿Quién dicen los hombres que es el hijo del hombre?"* Ellos dijeron: *"Unos dicen que eres Juan el Bautista; otros que eres Elías y otros que Jeremías, o alguno de los profetas".* Él les preguntó: *"¿Y vosotros, quién decís que yo soy?".* Pedro dijo: *"Tú eres el Cristo, el Hijo del Dios viviente".* (Mateo 16:13-16).

La diferencia que existe entre Jesús y nosotros no es de potencialidad espiritual, ya que todos poseemos nuestra inherente herencia divina. La diferencia está en la demostración que él hizo de este descubrimiento. Pero recuerda que él dijo que nosotros también lo podíamos hacer si seguíamos sus enseñanzas. Porque de hecho todos nosotros somos seres espirituales, por consiguiente somos un Cristo en potencia.

Desafortunadamente son muy pocos los que sabemos esto y menos aún los que tienen el éxito de expresar la perfección del Cristo morador como lo hizo Jesús. Él estimuló a cada hombre a ver el bien, lo bueno en cada semejante con quien tuviesen contacto y esto significa que aún hoy, él nos está diciendo también a nosotros:

"Tú ya no eres más 'un pobre pecador', claro que en el pasado cometiste pecados —errores, faltas—, *pero tú ya has pagado por ello, puesto que has sufrido al*

darte cuenta de todo esto. Por lo tanto, libérate ahora de esa carga mental de remordimientos y temores, o angustias por lo sucedido en el pasado. ¡Olvídalo, eso ya está pagado, liquidado! —porque el pasado no tiene ningún poder sobre tu presente si tú realmente lo olvidas. Al perdonarte a ti mismo por esas faltas, tú ahora eres un ser libre, sin pecado ni mancha, porque reconoces y aceptas que eres un Hijo de Dios; hecho a Su imagen y semejanza. Por lo tanto, eres un ser dotado de cualidades y virtudes. Si logras mantener todo el tiempo en tu mente este nuevo concepto, entonces tú manifestarás tus dones y atributos, que son tu herencia divina; al igual que yo lo hice".

Millones de hombres y mujeres han aceptado el cristianismo como una fe y han encontrado paz mental y satisfacción espiritual, sin comprender siquiera los principios espirituales que son fundamentales. Esto nos demuestra que en el cristianismo hay algo más que una aceptación superficial de Jesús como mediador entre Dios y el hombre.

En sus enseñanzas Jesús estaba preparando a hombres para que fueran salvadores como él lo estaba siendo, mas no que los hombres pensaran que a través de él o ellos, podrían salvar sus almas. Él sabía que cada quien es su propio salvador, ya que Dios es personal para cada cual y que la Ley Mental al ser impersonal, sólo nos dará el resultado según nuestra fe, creencia y aceptación de las cosas que hayamos seleccionado o decretado. Por esta razón él dijo: *"Te será dado, en la medida en que tú creas".*

Muchas personas piensan que Jesús —el hombre—, vendrá a salvarlos, y ahí están poniendo su fe y esperanza, pero para los que hemos comprendido la verdad acerca de Jesús y sus enseñanzas, sabemos que el Maestro no vendrá a salvarlos; que lo que los salvará es el seguir sus enseñanzas, sobre todo el practicarlas en el diario vivir porque mientras sigan aceptando falsas creencias, no podrán ser libres como él lo dijo: *"Conoceréis la verdad, y la verdad os hará libres".* (Juan 8:32).

Libres precisamente de falsas creencias, limitaciones y sugestiones. Jesús no vino a fundar una nueva religión sobre él mismo como nos han hecho saber y creer. Él dijo: *"No penséis que he venido para abrogar la ley o los profetas; no he venido para abrogar, sino para cumplir".* (Mateo 5:17).

Él lo probó o cumplió primeramente en su persona y entonces salió a compartir su descubrimiento diciendo que todos podíamos hacer lo que él había logrado, porque todos tenemos el mismo poder que él usó. Porque Todos éramos hijos del mismo Padre y que *"Es el placer del Padre, daros el Reino".*

Su enseñanza es simple y práctica. Él no formuló ningún credo, tampoco doctrina, ni ordenó prácticas ceremoniales o ritos. Tampoco enseñó teología ni ordenó cierto tipo de vestimentas "especiales". Él estaba en contra de todo eso. Por el contrario, ordenó muy enfáticamente a sus discípulos: *"Mas vosotros no queráis ser llamados Rabí; porque uno es vuestro Maestro, el Cristo; y todos vosotros sois hermanos".* Su enseñanza siempre estuvo dirigida hacia el Espíritu. A través de ella él iba guiando a hombres y mujeres hacia una íntima y directa relación personal con Dios, nuestra Fuente ilimitada de todo bien, sin necesidad de intermediarios o cosas externas.

Si seguimos esta guía heredada por Jesús, encontraremos cada cual nuestra propia Divinidad y salvación para nuestra alma a través de nuestro propio Cristo morador. Emilie Cady nos dice:

"Todos debemos reconocer que fue el Cristo interno lo que hizo a Jesús lo que fue; y ahora nuestro poder de ayudarnos y de ayudar a otros está en comprender la Verdad —porque es una Verdad ya la realicemos o no— de que este mismo Cristo que vivió en Jesús vive en nosotros. Es la parte de Sí mismo que Dios ha puesto dentro de nosotros, que siempre vive allí, como un inexpresable amor y deseo de precipitarse a la circunferencia de nuestro ser, o sea nuestra conciencia, como nuestra suficiencia en todas las cosas".

Jesús nos señala que cada cual lleva en sí mismo el nivel Divino del Ser y que en nuestra propia divinidad existe el poder ilimitado para nuestra curación, no sólo de males físicos sino en todas las áreas de nuestras vidas. No importan los diagnósticos médicos o fatalismos. Recordemos que ellos están basados en los resultados de análisis clínicos hechos por aparatos que pueden fallar o predicciones basadas en hechos sin fundamento. Pero hay *"Ese"* algo en nosotros que trasciende lo humano y es nuestro ser espiritual el cual permanece siempre perfecto e íntegro, y que nada de lo externo puede perturbarle.

Al reconocer este algo, nosotros entonces estaremos libres de enfermedades y limitaciones; asimismo estaremos listos para convertirnos en nuestro ser ilimitado. Libres para hacer cosas ilimitadas y caminaremos por la senda del Gran Maestro y haremos como él lo dijera: "*Tú estás capacitado para hacer todas las cosas que yo he hecho y aún mayores harás*".

Por lo tanto, no busques más medios o remedios externos con el fin o propósito de salvar tu alma. Tú tienes la capacidad y el poder suficiente para lograrlo por ti mismo. Hasta la fecha no se ha conocido a nadie que haya encontrado la iluminación —o haya hecho contacto con Dios— a través de algún maestro o libro. Desde luego que ellos fueron la inspiración, pero cada uno de los que lo ha logrado, ha sido por sí mismo y a través de la oración o meditación. Ellos han entrado en contacto o comunión con su "*Yo interno*", el medio por el cual todos nos conectamos espiritualmente a lo que es llamado el "*Yo Soy*" que significa Dios y a quien estamos siempre unidos.

Un ejemplo de esto es: Si tú quieres comunicarte por teléfono de la ciudad de México a New York; tú tienes dos maneras para hacerlo. Puedes usar la ayuda de la operadora marcando el cero y si tienes suerte, alguien puede contestarte y tú le darás toda la información requerida para que esta persona te haga la comunicación. Esto te puede llevar algún tiempo el lograrlo. Ahora bien, existe una forma más efectiva y rápida; tú puedes hablar directamente, usando la línea de Larga Distancia y marcas directamente a New York o a la parte del mundo que tú deseas, sin necesidad de intermediarios. Igualmente todos nosotros podemos comunicarnos directamente con Dios usando esta última forma: _Directamente._ Él tiene una línea directa y permanente con nosotros todo el tiempo para recibir Su ayuda cuando enfrentamos alguna situación o condición que no hayamos podido solucionar.

El Dr. Ernest Holmes nos dice: _"Sí podemos hablar con Dios. Pero tenemos que entender que no podemos conversar con Él con palabras externas, fuera de la naturaleza de nuestro ser; por la simple razón de que no podemos saber nada mas allá de nuestro propio entendimiento._

"En otras palabras, hay una Inteligencia, una Presencia en el Universo que nos responde y es Dios, quien sabe, ama y Él siempre nos responde; pero solamente a través de nuestra naturaleza... Nuestra comunicación con Dios debe de ser necesaria y siempre permanente. En esa luz interna nosotros nos comunicamos con nuestro Dios interno. Cuando lo sentimos dentro de nosotros, hay caridad para los demás, lo cual es amor en cada expresión. Hay una emoción correcta, es una acción de Dios a través de lo individual y una respuesta directa y lógica. Como la Naturaleza de Dios es constructiva, entonces Él es Bondad, Paz y Amor puro. Hay Sabiduría, Armonía, receptividad y júbilo".

Por tal motivo, tenemos que darnos tiempo para orar e ir dentro de nosotros, a nuestro privado; _"El Lugar Secreto",_ donde está la Presencia. A través de este método es como unos cuantos en toda la humanidad han hecho el anhelado "contacto" con Dios. Recuerda que no hablamos a Dios en ninguna lengua; es un contacto mental. No obstante, podemos escuchar la suave voz —audible solamente para nosotros— y entablar una conversación con Él dentro de nosotros mismos. Cuando lo reconocemos, entonces es cuando Él nos reconoce; como le sucedió al Hijo Pródigo de la parábola contada por Jesús. Tú sabes que al reconocer a su padre y al regresar a él, entonces el padre lo reconoce y lo recompensa ricamente colmándolo de bendiciones. No hay reclamo ni juzgamiento, sólo hay alegría, júbilo, amor y paz.

En el estudio de Ciencia de la Mente, es fundamental que el practicante tenga una clara comprensión del Espíritu, el cual sabe y conoce todo. Que este Espíritu es Dios, nuestro Padre-Madre-Dios quien nos conoce, responde y corresponde. Que Él fluye a través de nosotros, porque en Él vivimos, nos movemos y tenemos nuestro ser. Es el Padre Eterno en nosotros quien nos ama con un amor incondicional. Siempre dispuesto a escucharnos y acudir a nuestra ayuda para solucionar cualquier adversidad o problema que podamos enfrentar; sabiendo que con Él, todas las cosas son posibles.

Conclusión: ¡Principia ahora!, para que salves tú mismo tu propia alma. Ya que nadie podrá hacerlo por ti. Hace dos mil años El Gran Maestro vino a decirnos y dejarnos el *"secreto"* que él descubrió y usó y a través del cual él pudo purificar su alma al trascender lo humano en él, lo que llamamos físico/material. Jesús venció la muerte misma con su máxima demostración de la resurrección. Y también nos dijo: *"Este Poder ya es tuyo, tú no tienes que pertenecer a cierta secta o religión para poseerlo porque ya está dentro de ti, pero tienes que usarlo, nadie lo podrá hacer por ti"*. Sigamos también su declaración: *"Cuando quieras orar, enciérrate en la más completa intimidad y luego ora a tu Padre, que existe en lo secreto y tu Padre que ve en lo secreto, te recompensará abiertamente"*.

Pero debes de tomar en cuenta que antes de principiar a orar, tienes que reflexionar ante esta otra declaración: *"Y cuando os pongáis a orar, perdonad, si tenéis algo contra alguien, para que también vuestro Padre celestial os perdone vuestros pecados. Porque si vosotros no perdonáis, tampoco vuestro Padre celestial os perdonará vuestras culpas"*. (Marcos 11:25-26).

Una vez libre nuestra mente de todo resentimiento, preocupación o culpa, muy relajados, entonces con mucha fe y convicción hagamos nuestra meditación para entrar al Reino de Dios y aceptemos lo que nos dice Lucas 12:32 *"Es el buen placer del Padre daros el reino"*.

Afirma para ti con fe y convicción:

EL CRISTO MORADOR EN MÍ,
ES MI SALVADOR.
YO NO LE TEMO A NADA NI A NADIE,
PORQUE DIOS EN MÍ
ES MI GUARDIÁN Y PROTECTOR.

YO RESCATO A MI ALMA DE LAS TINIEBLAS
DE LA IGNORACIA
CENTRANDO MI PENSAMIENTO
EN LA PRESENCIA DE MI PADRE-MADRE-DIOS

QUIEN HABITA EN MÍ;
EN EL CENTRO DE MI SER.
YO ASÍ LO CREO,
YO ASÍ LO ACEPTO Y YO SÉ QUE…
ASÍ ES.

SALUD:
UN ESTADO MENTAL

La salud, prosperidad, felicidad, paz mental y perfección, son estados de nuestra mente y son nuestra herencia divina. Por lo tanto el trabajo del sanador espiritual es restaurar estas actitudes en la mente del paciente. Su labor es estimular a la persona para que ella exprese su verdadera naturaleza; él sabe que al argumentar —no discutir— y hacer razonar a esta persona, ella empezará a disciplinar sus pensamientos cambiándolos de negativo a positivo, manteniendo un pleno control de ellos; centrándolos sólo en lo que realmente ella quiere tener o ser. Todos nuestros males son el simple resultado de nuestros pensamientos y actitudes mentales negativas. Son sólo reacciones de nuestras acciones. Son el resultado de la Ley de Causa y Efecto.

"El hombre tiene autoridad sobre la tierra para perdonar los pecados", lo dijo Jesús. Él sabía que *"pecado"* no era más que un error cometido. Una falta, una falla al

escoger o decidir. Al perdonarnos nosotros mismos, así como perdonar y pedir perdón —al ofensor u ofendido— será suficiente para liberarnos de esta carga mental de remordimiento y autocondenación. Esto no quiere decir que nosotros estemos transgrediendo la Ley, sino que le estamos dando un nuevo giro para que ya no nos esté dando el resultado —"castigando"— por el error cometido pues ya hemos pagado por ello. Todos hemos experimentado que cuando cometemos una falta, al darnos cuenta de ella, comenzamos a sufrir. Desde ese mismo momento la Ley Mental en nosotros empieza a "cobrarnos" por dicha falta y pagamos con "sufrimiento" y si no damos una nueva orden o contraorden, la Ley siempre seguirá "reciclando" lo ya establecido.

Sabemos que la Ley siempre está actuando en nosotros dándonos resultados de acuerdo a nuestros pensamientos, actitudes y acciones. Es la Ley que nos regula a todos por igual; si esto no fuera así sería un caos, estaríamos todos contra todos o como se dice; imperaría la ley de la jungla.

Esta Ley la cual es impersonal —no reconoce personalidades, raza, color o credo— es inviolable, matemática y no tiene volición. Tiene sabiduría, inteligencia y poder; pero sólo para crear. Ella permanece en nosotros porque es parte de nosotros mismos. Está siempre a nuestra disposición y lista para actuar de acuerdo a la dirección que le demos ya que por sí misma no tiene poder para hacerlo, como ya dijimos no tiene volición. Ella siempre nos está dando resultados de lo que ya hemos establecido en nuestra subconciencia, y mientras no quitemos el pensamiento o creencia; nosotros siempre estaremos teniendo resultados de los mismos.

Por ejemplo: Si tú has tenido una pelea con un hermano en la cual lo ofendiste, indudablemente que ahora al darte cuenta de ello te sientes mal y culpable. Estás sufriendo por lo sucedido, porque además, si eres una persona "machista" o soberbia, no le pediste disculpas y ello ha originado un resultado de tu acción, el sufrimiento. Como ya lo dijimos, la Ley Mental no puede ser violada, pero ella es moldeable, o sea que podemos darle otro giro para que ya no nos de más "castigo" o sufrimiento. Esto se logra mediante la oración del perdón. Jesús nos dice: *"Perdona para ser perdonado"*. Si te interesa permanecer sano, libre de todo sufrimiento y carencia, lee más adelante el capítulo "El Beneficio del Perdón".

Cuando tú has pagado una deuda financiera, tú ya no eres requerido para que la pagues de nuevo ¿o sí? ¡Claro que no! Tú ya pagaste por ella. Asimismo opera en nosotros la Ley que nos regula a todos por igual. Como todo está en nuestra mente, almacenado en nuestra memoria, nosotros tenemos que liberar de nuestra mente esos sucesos. Cuando así lo hacemos con la oración del perdón, equivale a darle una nueva orden a la Ley. Sabemos que esta Ley sólo obedece y crea para nosotros aquello que nosotros hayamos creído, aceptado o decretado.

Aceptar y llevar consigo el *"pecado"* es separarnos de la actividad de Dios y el castigo es el deterioro que siempre sigue a tal separación. Todo esto ocurre en nuestra mente, por consiguiente es una separación aparente de nuestra Fuente, lo cual nos conduce a la enfermedad, sufrimiento, escasez y limitación. Jesús enseñó: *"Tú no eres castigado tanto por razón de tus pecados, como por ellos mismos"*. También nos dice: *"Sed, pues vosotros perfectos, como vuestro Padre que está en los cielos es perfecto"*. (Mateo 5:48). Lo que quiere decir que todos —como hijos de Dios que somos, llevamos dentro de nosotros mismos el Patrón Divino de perfección— hemos nacido en un estado perfecto, puesto que somos imagen y semejanza de nuestro Creador. El desconocimiento de ello, origina nuestra separación, ya que en nuestra ignorancia, escogemos siempre lo opuesto a lo que queremos, asimismo pensamos en lo que no queremos y por esta misma razón lo obtenemos pues la Ley nos da aquello a lo que le damos sentimiento e interés.

Mucha gente teme, y ese temor lo trae consigo en su mente la mayoría del tiempo. Temor a no tener mañana qué comer o qué vestir; a las enfermedades; a la pobreza; al futuro; a la muerte. Jesús nos dice: *"Por eso os digo: No os preocupéis por vuestra vida, qué comeréis o qué beberéis; ni por vuestro cuerpo, con qué lo vestiréis. ¿No es más la vida que el alimento y el cuerpo que el vestido? Mirad las aves del cielo: no siembran ni siegan ni recogen en graneros, y vuestro Padre celestial las alimenta. ¿No valéis vosotros mucho más que ellas?"* (Mateo 6:25-26).

La información posterior a nuestro nacimiento es aceptada por nosotros de acuerdo a la atmósfera mental en que hayamos nacido. Puesto que no sabemos cómo rechazarla, simplemente la hemos almacenado en nuestra subconciencia, estableciéndose ahí como una "verdad" en nuestra vida. Como todo tiene una expresión, dependiendo de cada pensamiento que hayamos implantado en nosotros, así vamos conformando nuestras reacciones ante la gente y ante toda situación. Vamos formando nuestra propia atmósfera mental y dependiendo de ella es como nosotros vamos atrayendo y teniendo relaciones con personas que piensan como nosotros, actúan como nosotros y están de acuerdo con nosotros —ya estemos en lo cierto o no.

Jesús descubrió en él la dimensión divina y dijo que ésta, está en todos los hombres. Él la probó en su persona y por esta razón logró su gran demostración: La Resurrección. Él creía en la Vida Eterna, en el espíritu de perfección que todos llevamos; en la perfección que ya existe en todos nosotros y por eso dijo: *"Sed, pues vosotros perfectos, como vuestro Padre que está en los cielos es perfecto"*.

La razón por la cual no demostramos —como debiéramos de hacerlo— nuestro estado de perfección es debido a la información recibida durante nuestros primeros días de educación, ya sea en nuestro hogar o escuela, así como de personas que nos rodean; sobre todo en la educación religiosa donde se ha enseñado a creer en el "pecado original" el cual no fue enseñado por Jesús y que hace sentirse indigno, y no ser merecedor de lo bueno.

Pero esto del pecado original fue una creación derivada de los teólogos en la etapa primaria del cristianismo.

Cuando los gnósticos se consideraban que tenían un conocimiento superior a todos los demás hombres. Ellos decían que era producto de su iluminación interna, por consiguiente se creían inclusive superiores o iguales a Jesús. Lógico que para los cristianos de entonces esto significaba una herejía, y los líderes de este movimiento, que eran teólogos liberales, optaron por reunirse para decretar que Jesús era Dios mismo que había bajado del cielo y se había revestido en el propio Jesús quien había caminado entre los hombres, pero que de ninguna manera Él no era humano.

Entonces para establecer la diferencia entre Jesús y los demás hombres, formularon la degradación del hombre con el "pecado original", estigma que sería por siempre la maldición para la raza humana. Y para que todos aceptaran como verdadero esto, ellos enfatizaron esta creencia basándose en el Salmo 51 de David que dice: "...*en maldad he sido formado y en pecado me concibió mi madre*".

Pero, si analizamos detenidamente este Salmo, lo que David aquí está diciendo no está refiriéndose a toda la humanidad sino a él mismo. David siente remordimiento —o sea que está sufriendo por su propio error— por el hecho de haber enviado a la batalla para que muriese el esposo de Betsabé y en esta forma él poder quedarse con ella. Quizás en alguna ocasión hayas escuchado a alguien decir, o tú mismo hayas expresado: "No soy nadie, hubiera sido mejor no haber nacido; no valgo nada". Como podemos ver, ésta es una de tantas paradojas que encierran las aplicaciones teológicas de la Biblia.

A la vista de nuestros días, de ninguna manera podemos considerar este hecho como una degradación para todos los hombres. Sabemos que cada cual es responsable de sus actitudes y de sus pensamientos, pues a través de ellos obtenemos un resultado de los mismos. Nadie puede pagar por las culpas o errores cometidos por otros, porque la ley del pensamiento está en cada individuo y de acuerdo a su pensamiento o actitud, así tendrá el resultado.

Este poder en nosotros nos da siempre un resultado matemático y preciso. Por consiguiente, debemos de mantener siempre un pensamiento positivo y nunca hacerle o desearle daño a otro porque es hacérnoslo nosotros mismos. Si actuamos en forma deshonesta o tratamos de poseer algo que no nos pertenece como en el caso de David, que deseaba poseer la esposa de otro, entonces estaremos creando dificultades. Estaremos accionando al poder en contra, en vez de a favor nuestro y por consiguiente, si la acción es perjudicial entonces este poder se encarga de darnos el castigo o resultado que merecemos porque: *"Con la vara que midas, serás medido"*.

La Biblia nos dice en Génesis 1:27 *"Y Dios creó al hombre a su imagen, a imagen de Dios los creó; varón y hembra los creó"*. Lo que quiere decir que primeramente somos creaciones espirituales, Divinos, antes de aparecer como físico/materiales o humanos.

Si realmente creemos y aceptamos esto, también significa que nosotros no podemos estar estigmatizados por una creencia de la conciencia racial, ya que el espíritu en nosotros no reconoce "pecado" ni puede ser dañado por lo externo. Indudablemente que David hacía referencia a lo humano en él, por el hecho de haber cometido un "pecado", él había actuado con deshonestidad. Por esta razón él ya estaba sufriendo el castigo de la Ley Mental. Él tenía remordimientos. Su conciencia lo estaba castigando, no lo dejaba en paz.

La imagen que tiene Dios de nosotros que somos Su creación, es una imagen de perfección puesto que todo lo creado por Él es perfecto. Nuestro trabajo consiste en realizar esa semejanza, tanto en nuestro cuerpo físico como en nuestros asuntos. Pero surge la pregunta: ¿Cómo podremos lograr esto? El trabajo es realmente simple, sencillo: Verbalmente afirmar, creyendo y aceptando: *"Yo soy un ser espiritual, un verdadero Hijo de Dios". "El Espíritu de Dios en mí, manifiesta ahora armonía y perfección en todo mi cuerpo y mis asuntos; yo lo creo, yo lo acepto con gratitud sabiendo que así es".* En esta forma lograremos exteriorizar la perfección ya existente dentro de nosotros. Este fue precisamente el trabajo realizado por el Maestro Jesús para lograr purificar su cuerpo y como él mismo lo dijera: *"El que en mí cree, las obras que yo hago, él las hará también, y aún mayores hará, si tan sólo cree".* (Juan 14:12).

Cada uno de nosotros como seres espirituales que somos, todos ya somos innatamente buenos y perfectos. Llevamos implantado en el centro de nuestro ser un Cristo en potencia como lo descubrió el Maestro; y si aceptamos esto, entonces estaremos usando el mismo poder y la misma mente que usó Jesús, ya que sólo hay una Mente y Ella está individualizada —no dividida— en cada uno de nosotros.

Lamentablemente pocos son los que saben esto, y aún a sabiendas de ello, también son muy pocos los que lo han expresado. Tal vez en un millón de personas no exista tan siquiera una que esté viviendo a la altura de lo mejor que hay en ella. Para auto-ayuda usa esta afirmación: *"Yo soy un ser espiritual, un verdadero Hijo de Dios; yo soy un ser libre, perfecto, íntegro, con inteligencia y poder para realizar todo lo que desee hacer. Yo lo creo, yo lo acepto y yo sé que así es"*.

Estamos conscientes de que vivimos en un mundo material, pero lo más importante es reconocer que también somos seres espirituales y que el Espíritu Universal es el que ha creado y sigue creándolo todo. Por consiguiente todo proviene del Espíritu y como individualizaciones que somos de Sí mismo, poseemos inteligencia, sabiduría y poder para cocrear con Él.

Cuando no sabemos esto somos presa fácil de ser sugestionados e influenciados y por lo tanto manejados por otros. No expresamos esa libertad de que fuimos dotados sino que estamos sujetos a los demás, al mundo externo; al mundo que nos rodea. La mayoría de las veces no hacemos lo que queremos hacer sin antes consultar con alguien, porque no estamos seguros de nosotros mismos. En esta forma estamos dando nuestro poder de escoger a otros o hacemos lo que otros dicen que debemos de hacer.

Usemos correctamente nuestro poder de escoger y escojamos siempre lo que realmente deseemos tener o experimentar. Recordándonos que nuestro Creador nos dio a todos por igual el libre albedrío de escoger y por esta razón, cada cual debe de escoger la clase de vida que desee vivir. Aun a riesgo de equivocarnos, debemos de seleccionar y decidir porque esto también nos beneficia en nuestro crecimiento o evolución. La mayoría de las personas quieren cambiar su vida cambiando las cosas externas, o están esperando que éstas cambien para disfrutar la vida sin darse cuenta que lo externo es el reflejo de lo interno.

Como ellos hayan pensado, creído y aceptado la vida, así es como ellos la estarán viviendo. Han accionado la ley de causa y efecto la cual simplemente les está dando un resultado. "Piensa bien, te irá bien... piensa mal, te irá mal; así de simple". Es tanto como haber sembrado sin seleccionar las semillas y sólo tendrán una cosecha de plantas deseadas e indeseadas.

Entonces lo que tenemos que cambiar es nuestra manera de pensar para que nuestro mundo cambie. No podemos cambiar al mundo entero pero sí podemos cambiar nuestro pequeño mundo, o sea el mundo donde nos movemos, el mundo que nos rodea, como es nuestro hogar, nuestro centro de trabajo, la sociedad donde vivimos y compartimos y tenemos nuestras experiencias. Este pequeño mundo sí es posible cambiarlo porque él es un reflejo de nuestro pensar. Por consiguiente, si queremos que nuestro mundo cambie, no cambiemos las condiciones externas —que son sólo los efectos— sino que debemos de cambiar nuestros pensamientos —que son las causas— los cuales son el origen de este nuestro pequeño mundo-ambiente que nos rodea.

Nos damos cuenta que el mundo que conforma la humanidad, o sea las personas, es gobernado por la mente o pensamiento colectivo, por la propaganda y opiniones comunes. Todo esto está sujeto a cambios y surgen constantes tragedias, guerras, enfermedades, accidentes, frustraciones, dolor y fracasos. Y hasta no saber cómo controlar nuestra mente y dirigir nuestros pensamientos enfocándolos solamente en lo que queremos tener, siempre estaremos expuestos a experimentar todo esto, que no es nada grato.

Debemos de mantener nuestro pensamiento todo el tiempo enfocado solamente en ideas de salud, felicidad, riqueza, éxito, prosperidad y paz mental. Estos pensamientos nos inspiran, elevan y dignifican nuestras almas. También advertimos que en gran parte, la gente está sujeta a la mente colectiva que vive llena de errores, falsas creencias y todo tipo de limitaciones. Y para poder elevar nuestra conciencia del plano físico/material, debemos de dejar de ver las condiciones externas y centrar nuestra atención en ver y aceptar sólo lo bueno, lo real, lo verdadero, lo eterno que nunca cambia, lo que proviene del Espíritu que es Dios.

Cuando creemos y aceptamos que todo nos viene de Dios, que Él es nuestro Padre-celestial, nuestro Dador de vida, nuestro proveedor; entonces todo cambia. Nuestra mente se libera de toda ansiedad, preocupación y temores. Entonces experimentaremos armonía y paz. Estaremos en sintonía con el Infinito y Su ley y orden gobernarán nuestras vidas. Seremos guiados e inspirados en forma Divina, y nuestras almas serán llenadas de luz, sabiduría, entendimiento y comprensión. Estaremos siempre protegidos por el amor, y viendo sólo belleza. Estaremos viviendo en la eterna vibración espiritual que nos eleva de lo humano a lo Divino. Así, al levantarnos de esa conciencia baja de lo malo a lo bueno, seremos "levantados" y con ello atraeremos a los que estén a nuestro alrededor, como lo dijera Jesús: *"Y, yo, si fuere levantado, a todos atraeré a mí"*. (Juan 12:32).

Resumiendo: Si deseamos que nuestra salud sea permanente, debemos de sanear nuestro nivel subconsciente, que es el almacén de nuestra memoria. Esto lo podremos lograr mediante la oración del perdón. Si en nuestro pasado no supimos seleccionar nuestros pensamientos, lógicamente es que puede existir toda clase de ellos y tal vez algunos muy arraigados de carácter constructivo y destructivo. Pueden ser pensamientos de felicidad y tristeza; salud y enfermedad; riqueza y pobreza; paz y desarmonía; etc., y para deshacernos de todo pensamiento destructivo debemos de perdonarnos y pedir perdón.

Esta oración nos ayuda a disolver todos los errores del pasado, lo antagónico a lo bueno. Perdón es olvido. No solamente tenemos que decir: "Está bien, te perdono pero no olvido lo que me hiciste", o bien si tú dices: "Perdóname, pero tú eres el único culpable de todo; yo soy

inocente". En el primer caso realmente no estamos perdonando e indudablemente que en la primera oportunidad
se volverá a suscitar otro desacuerdo y empezará de nuevo otra disputa porque se está programando para ello, pues
no se ha olvidado el suceso.

En el segundo caso, si la persona no siente compasión por la otra; ella la estará juzgando y echándole toda
la culpa, sin reconocer que en un pleito o disputa partici-
pan dos personas. Tampoco se trata de encontrar quién es
o fue el culpable. Se trata de poner paz y olvidar lo sucedido, de perdonarse mutua y sinceramente de corazón. Si
tú estás dispuesto a probar y comprobarlo, haz esta oración —ya sea escribiéndola o diciéndola audiblemente
para ti— cuantas veces sea necesario, hasta que tú sientas
que verdaderamente ya no sientes ningún resentimiento
con la persona que te hirió o heriste.

Afirma pausadamente y sintiéndolo de verdad:

ORACIÓN PARA PERDONARSE A SÍ MISMO

YO; (Menciona o escribe tu nombre completo)
ME PERDONO A MÍ MISMO/A POR TODOS
LOS ERRORES Y FALTAS COMETIDAS
EN EL PASADO. DIOS YA ME HA PERDONADO
Y YO ME HE PERDONADO TAMBIÉN.

YO YA HE PAGADO POR TODOS
ESOS ERRORES PUESTO QUE HE SUFRIDO
EN ALGUNA FORMA; POR CONSIGUIENTE

YO AHORA LE ORDENO AL PODER DE DIOS
EN MÍ QUE BORRE DE MI MEMORIA
TODO LO QUE SEA ANTAGÓNICO A MI BIEN.

AHORA YO SOY UN SER LIBRE.
LIBRE DE ATADURAS; SIN PECADO
NI MANCHA. YO RECLAMO MI HERENCIA
DIVINA, EL REGALO QUE MI PADRE-DIOS
YA ME HA DADO: SALUD PERFECTA,
PROSPERIDAD, RIQUEZA, ÉXITO,
FELICIDAD Y PAZ MENTAL.

ES MI DERECHO DIVINO
GOZAR DE TODO ESTO. YO LO CREO,
YO LO ACEPTO CON GRATITUD,
SABIENDO QUE ASÍ ES. AMÉN.

Esta oración es para tu persona. Para que tú te liberes
definitivamente de toda atadura que inconscientemente
te has puesto. Estás dándole a la ley del pensamiento —el
Poder Creativo en ti— una nueva orden y ella te obedece-
rá, cuando tú realmente *sientas* que lo que has afirmado
lo has aceptado conscientemente.

ORACIÓN PARA PERDONAR Y SER PERDONADO

Y para perdonar y recibir el perdón de otros, es necesario
hacer por separado esta otra oración, en la misma forma
que la anterior. Con mucha disposición, fe, creencia y muy
buena voluntad.

YO: (Menciona o escribe tu nombre completo)
TE PERDONO DE TODO CORAZÓN A TI;
(Menciona o escribe el nombre completo
del ofensor u ofendido) TÚ Y YO SOMOS
UNO/A DELANTE DE DIOS.
ASÍ COMO YO TE HE PERDONADO,
TÚ ME HAS PERDONADO TAMBIÉN.

AHORA AMBOS SOMOS SERES LIBRES
DE TODO RESENTIMIENTO, CORAJE, IRA,
ODIO, ATADURA, CONDENACIÓN O CULPA.
DIOS TE BENDICE Y YO TE BENDIGO TAMBIÉN.
YO TE DESEO TODA LA PAZ Y ARMONÍA
QUE YO QUIERO PARA MÍ.

ES NUESTRO DERECHO DIVINO VIVIR FELICES
Y ESTAR RODEADOS DE TODO LO BUENO
QUE NUESTRO PADRE CELESTIAL
YA NOS HA DADO COMO DERECHO DIVINO.
GRACIAS DIOS POR HABERNOS DADO
EL DON DEL PERDÓN Y POR HABERNOS
PERDONADO Y COLMADO
DE TUS BENDICIONES… Y ASÍ ES. AMÉN.

LA TRINIDAD

¿Cómo podemos definir metafísica o espiritualmente la trinidad en nosotros? Espiritualmente tú eres una individualización de Dios. Físicamente tú eres esa expresión humana Divina como hombre o mujer. Si deseas saber el misterio del Ser, mírate a ti mismo y acepta que primeramente tú eres un ser espiritual, antes que humano. Si tú ves separada la "Santa Trinidad" —como la han simbolizado dentro del catolicismo—, tú te conviertes en un simple espectador. Sin embargo, si tú aceptas que eres una trinidad, —unido, no separado— entonces te conviertes en un canal de expresión de Dios.

En la religión Católica se reconoce a la Santa Trinidad como Padre, Hijo y Espíritu Santo. Pero esta Trinidad está representada en una forma simbólica porque nadie ha visto al Padre (que representa a Dios), mucho menos podemos darle una forma humana ni considerarlo como un anciano porque esto lo limitaría y Dios no tiene límite ni está sujeto al tiempo. Él es un Ser Espiritual, una Energía sin forma. Sólo podemos *sentir* Su Presencia. *"Dios es Espíritu; y los que le adoran, en espíritu y en verdad es necesario que adoren".* (Expresado por Jesús a una mujer en el pozo de Samaria). Cuando el Maestro habla de Espíritu, él no está realmente definiendo a Dios como algo específico, porque nadie podría hacerlo. Él simplemente estaba dándonos una guía para nuestras oraciones las cuales debemos dirigirlas hacia nuestro interior —el medio finito— y no pensar de Dios como una persona, porque esto significaría "fuera" de nosotros, o "allá arriba" en los cielos; lejos de nuestro alcance. No obstante, Jesús, el prototipo del hombre perfecto e íntegro, se colocó a sí mismo en el lugar de la Divinidad y dijo: *"El que me ha visto a mí, ha visto al Padre,"* pero reconociendo la supremacía del Principio espiritual que estaba demostrando, él agregó: *"El Padre es mayor que yo".*

Realmente no existe ningún "misterio" acerca de la Trinidad, como nos han hecho creer. Cuando decimos que somos seres tridimensionales —humanos—, exponemos en términos simples lo que en la doctrina teológica de la Trinidad la ha envuelto, haciéndola como algo misterioso.

Los científicos modernos han investigado las funciones de nuestra mente y esto ha dado por resultado que desaparezcan todas esas falsas creencias que hemos arrastrado de la conciencia racial y teológica, desde los hebreos, egipcios, hindúes y otras religiones y sistemas místicos del pasado.

En nuestro estudio metafísico, nosotros reconocemos que todos somos una trinidad, identificada como:

Espíritu, Alma y Cuerpo ó Espíritu, Mente y Cuerpo; o bien Pensamiento, Creación y Manifestación; cualesquiera que sea el nombre que se le de o reconozca. También es de suma importancia que sepamos que no existe separación entre estas tres partes; ambas son una. Cada una tiene su propia y específica función, pero las tres son necesarias para una completa y perfecta expresión.

Espíritu: Causa Absoluta, Origen (Nivel consciente y canal de la intuición).
Alma: Poder Creativo (Ley Mental que sólo obedece y crea lo aceptado).
Cuerpo: Expresión del Espíritu (Manifestación, experiencias, mundo físico).

Espíritu: Es el Principio activo de Conciencia-Propia; Primera Causa; Lo Absoluto; El Universal YO SOY. Él es Verdad, Amor, Ley. Es el Poder Universal de Conocimiento-Propio. El espíritu como causa absoluta en nosotros, es el poder que Dios nos dio y a través del cual nosotros pensamos, observamos, seleccionamos, visualizamos, decidimos y decretamos. Es el aspecto consciente en nosotros y el poder de razonamiento.

Nuestro Creador nos dio el maravilloso regalo del libre albedrío para seleccionar aquello que más deseamos. Pero en nuestra ignorancia de reconocer este regalo, la mayoría de las veces damos nuestro poder de escoger a otros o lo denegamos como cuando tú dices: "Dame lo que quieras; escoge por mí; lo que me dejes está bien; trae lo que quieras, me da lo mismo," etc.

El Espíritu todo el tiempo está derramando sobre nosotros Su Sabiduría, Amor, Salud y todo lo Bueno que hay en Él. Él es una Fuente inagotable de Bien y nunca nos retiene nada. Somos nosotros quienes inconscientemente estamos bloqueando el fluir de Su provisión por el temor o miedo.

Por ejemplo: Miedo a la escasez, y por esta razón la gente se limita. Miedo a la enfermedad y por ello siempre están tomando "jarabes", todo tipo de hierbas medicinales o medicamentos prescritos por ellos mismos. Vitaminas y todo tipo de "remedios caseros", pensando que esto mitigará o curará sus males. Miedo al futuro incierto.

Y siempre están pensando en que algo funesto pueda ocurrirles. Sin darse cuenta, la gente que piensa de esta manera, ellos mismos se están separando de la Fuente de lo Bueno, porque están escogiendo atraer todo tipo de malestares con el miedo. El miedo es lo opuesto a lo bueno.

Cuando se desconoce el proceso del pensamiento, el ser humano está sujeto a ser sugestionado o influenciado por todo tipo de "males" habidos y por haber. No se da cuenta que todo lo que está creyendo o imaginando está cayendo a su nivel subjetivo —Alma— que es el almacén de su memoria y donde se procesa toda la información que él esté aceptando.

Alma: El Maestro Jesús sabía que todos nosotros necesitamos de un ayudante personal y esto es el alma en nosotros, la cual es una real y siempre presente ayuda personal, dispuesta a servirnos en el momento en que la reconocemos y acudimos a ella —es nuestro Ángel Guardián. El alma también conocida como la Ley Mental, ella obedece y crea para nosotros todo lo que deseamos, lo que consciente o inconscientemente aceptamos; sea verdadero o falso ella está siempre creando y dispuesta a servirnos. Ella todo el tiempo dice sí. No tiene la facultad para rechazar; sólo obedece y crea.

El Maestro agrega: "*Y yo rogaré al Padre, y os dará otro Consolador, para que esté con vosotros para siempre: el Espíritu de verdad*". (Juan 14:16-17). Y también nos dice: "*Os he dicho estas cosas estando con vosotros. Mas el Consolador, el Espíritu Santo, a quien el Padre enviará en mi nombre, él os enseñará todas las cosas, y os recordará todo lo que yo os he dicho*". (Juan 14:25-26). Asimismo dijo: "*Pero cuando venga el Espíritu de verdad, él os guiará a toda la verdad*". (Juan 16:13).

Cuando comprendemos este maravilloso mensaje de Jesús, no podemos más que seguir su enseñanza y dejar que el Espíritu Santo —el Consolador, o el Alma en nosotros— actúe en nuestra conciencia llevando a efecto el plan perfecto de Dios para nuestra vida. Él guía nuestros pensamientos, palabras y oraciones en acción con poder y autoridad para que éstos sean manifestados en lo visible. Cuando necesitemos curación, debemos recurrir al Espíritu Santo —el cual radica en el centro de nuestro ser— y Él nos sanará y restaurará nuestro cuerpo. El Espíritu Santo es: *Dios en acción*.

Cuando oramos al Espíritu Santo para que se haga cargo de todo nuestro ser, Él nos conforta y su cálida y amorosa presencia nos habla y actúa a través de nosotros, para nosotros. Por ejemplo, si tú tienes necesidad de hablar en público y sientes temor de hacerlo, ora al Espíritu Santo en ti de la siguiente manera: *"Yo reconozco al Espíritu Santo en mí. Él se expresa a través de mí con palabras de verdad. Todos los que me escuchen estarán receptivos a esta verdad"*. Repítelo varias veces hasta que te sientas con seguridad. Jesús dijo: *"No os preocupéis por cómo o qué hablaréis; porque en aquella hora os será dado lo que habéis de hablar. Porque no sois vosotros los que habláis, sino el Espíritu de vuestro Padre que habla en vosotros"*. (Mateo 10:19-20). Más clara no puede estar esta declaración.

Cuando reconocemos este grandioso Poder en nosotros y nos mantenemos en sintonía y armonía con Él, entonces actuaremos guiados y dirigidos por Su Sabiduría. El Espíritu de Verdad —el Alma— expresará en nosotros Sus ideas y ellas fluirán libremente a través de nuestra mente manifestando sólo cosas buenas en nuestras vidas.

Cuerpo: Es la manifestación del Espíritu en el plano físico/material. Es la forma por medio de la cual se expresa el Espíritu. Cuerpo es lo que definimos como: lo humano o carnal. El Cuerpo es la expresión objetiva del plano invisible en lo visible. El Cuerpo físico es diseñado y creado por el Alma para que el Espíritu pueda moverse y expresarse apropiadamente en este plano. Cuando el cuerpo ya no es necesario, el Alma se separa de él y continúa su expansión en otra dimensión.

Nosotros podemos moldear nuestro cuerpo, ya que él responde a nuestro pensamiento y palabras. Cuando alabamos y bendecimos nuestro cuerpo —que es el templo de Dios en nosotros— éste nos responde con una radiante salud, fortaleza y vitalidad; y se mantiene en perfecto balance y equilibrio.

Si tú quieres tener un cuerpo deseable, háblale a tu cuerpo en la siguiente forma: *"Mi cuerpo es espiritual, él es el templo de Dios en mí; por lo tanto él es joven, fuerte y saludable. En él hay perfecta circulación, perfecta asimilación y perfecta eliminación. No hay congestión ni confusión, tampoco inacción en ninguna parte de mi cuerpo. Yo soy uno con el ritmo infinito de la Vida y todo en mí es perfección. Yo lo creo, yo lo acepto, y yo sé que Así Es"*. Practica esta oración diariamente. Este es el mejor medicamento que tú puedas usar para mantener tu cuerpo siempre saludable, perfecto e íntegro. ¡Pruébalo! y te convencerás tú mismo. Dentro de ti está el patrón divino de perfección, y cuando tú afirmas que todo está perfecto, tú estarás exteriorizando esta verdad de tu cuerpo.

Es a través de este proceso mental, como nosotros experimentamos las cosas y tenemos nuestras propias experiencias en nuestra vida física. Como anteriormente ya dijimos, ambos niveles espirituales son importantes y necesarios para una completa expresión. El Espíritu, sin el Alma no podría expresarse, y el Alma sin una orden o dirección del Espíritu, no puede generar nada, porque ella no tiene volición. Su función primordial es solamente crear. Y el Cuerpo como no tiene vida propia, él es el vehículo del Espíritu. El cuerpo sólo manifiesta las experiencias de acuerdo a lo decretado por el estado consciente e inconsciente del individuo.

El buscador moderno de la Verdad, muy poco confía en la fe, aunque afirme tenerla. A menos que se dé cuenta que la fe siempre la está usando pero en forma inconsciente y más de las veces en forma negativa. Sin darse cuenta él piensa, y cada pensamiento cae a su nivel subjetivo —Alma—, donde se almacena y procesa según su clase y consecuentemente él tendrá una expresión de dicho pensamiento en su cuerpo o ambiente. Como el Alma o poder creativo no está sujeto al tiempo, ella trabaja en su forma natural; pero siempre dando resultados de acuerdo a la naturaleza de nuestro habitual pensar y de esta manera damos a nuestra vida la forma de vivir.

Al establecer nuestros hábitos de pensamiento en nuestra subconciencia, nosotros sólo estamos siendo actores en la vida, pues únicamente reaccionamos ante las personas, situaciones o circunstancias. No nos ponemos a pensar qué decir o cómo debemos de comportarnos;

simplemente reaccionamos. Un ejemplo: Si alguien te grita enojado, tú no piensas: ¿Le contesto igualmente con gritos, o me quedo callado? ¿Me pongo a llorar, o me pongo furioso? Desde luego que no, tú sólo reaccionas de una u otra forma; según hayas establecido tu forma de responder por primera vez. ¿Cuándo sucedió esto? No podemos saberlo con certeza, pero indudablemente que esto tú lo estableciste porque nadie, absolutamente nadie lo pudo haber hecho por ti.

Por esta razón, depende sólo de nosotros mismos el almacenar pensamientos que produzcan algo en beneficio propio y para los demás, algo que ennoblezca nuestra alma, como pensamientos de perfección, felicidad, prosperidad, riqueza, éxito, vida, belleza, salud y paz mental. Si mantenemos por un tiempo en nuestra mente todos estos pensamientos, ellos se arraigarán en nuestro subconsciente y entonces se manifestarán externamente en nosotros haciendo que nuestra calidad de vida sea mejor y mejor; consecuentemente los pensamientos antagónicos a ellos ya no tendrán cabida en nuestra mente, y si nos vinieran los rechazamos con lo opuesto a ellos de la siguiente manera: *"En mi mente no hay cabida para ti, yo ahora acepto sólo lo bueno"*. Entonces nosotros atraeremos como imanes toda clase de cosas buenas, porque *"lo semejante atrae a lo semejante"*.

Una vez que conocemos el proceso de la trinidad en nosotros, debemos de pensar correctamente para poder vivir una vida que sea productiva y plena. Dios nos dio a todos por igual el poder divino de escoger o seleccionar.

Nunca des tu poder de escoger a otro, recuerda; es tu derecho divino, ¡úsalo correctamente!, para tu bienestar y el de los demás.

Tú debes de saber que eres un ser pensante, piensas con tu nivel consciente y todo pensamiento —que es como la semilla que siembras— bueno o malo, cae a tu alma, lugar donde se procesa —como la madre naturaleza hace germinar en la tierra la semilla según su clase— y posteriormente se manifiesta en tu cuerpo o ambiente, dependiendo de la clase de pensamiento. De igual forma la semilla que plantaste, dependiendo de su clase, es como tú cosechas frutos, legumbres o flores.

Recuerda lo siguiente, la mente que cada uno de nosotros usa, nunca se separa de la Mente-Dios. Ella es una individualización de la gran Mente-Dios y se manifiesta en su forma peculiar en cada individuo. Todo ser humano conforma en su conciencia estos tres niveles de la trinidad, y dependiendo de la armonía en que se encuentre cada cual, es como podemos evidenciar salud perfecta, prosperidad y éxito en Espíritu, Alma y Cuerpo.

Suponiendo que sólo fuéramos Cuerpo, entonces estaríamos expresando sólo una tercera parte de nosotros mismos. Si añadimos el Alma, esto equivaldría a dos tercios de nosotros, y si agregamos el Espíritu, entonces estaremos expresando la perfecta y completa naturaleza que Dios designó como hombre o mujer. Ninguna de estas tres partes es creación nuestra, ni nos pertenece; es sólo la forma de nuestra identidad. Tú puedes expresar: "Yo soy así, o soy como soy" y lo estarás expresando a través del Espíritu de Dios en ti. Pero si tú dices que escoges las cosas por tu propia y exclusiva voluntad, porque tú tienes poder propio para hacerlo, sin necesidad de pedir guía; entonces tú estarás siendo un egocéntrico. Estarás actuando a tu nivel humano, intelectual y esto origina que tú seas una persona limitada y expuesta a cometer errores al escoger.

En cambio cuando pedimos guía Divina antes de escoger, estaremos en la correcta relación con Dios, con la Vida, Sustancia e Inteligencia siempre presentes en todas partes. Cuando escogemos ser guiados por nuestro "Yo" interno, estaremos sintonizados con la Mente-Dios y nuestra mente se vuelve sabia, armoniosa y tendremos una vida vigorosa y feliz permanentemente.

Es de suma importancia que todos entendamos esta interacción de nuestra trinidad, para crecer en una forma natural y perfecta. Esto no debemos de tomarlo como una simple forma abstracta sino que es fundamental que mantengamos nuestro pensamiento conscientemente unido con la Fuente única de Vida la cual es Dios. En nuestro mundo individual, estas combinaciones hacen que nosotros expresemos una perfecta expresión de nuestra raíz u origen que es nuestro Creador. La imagen de perfección que Dios tiene de nosotros se conoce con distintos nombres en las diferentes religiones del mundo. Los hindúes lo llaman Khrisna, los hebreos El Mesías y para los cristianos es el Cristo Morador.

Indudablemente que todas las grandes religiones del mundo, están basadas en la ciencia espiritual, pero lamentablemente pocos de sus seguidores han entendido esta ciencia. No obstante sucedieron varios profetas hebreos que dijeron a su pueblo una y otra vez, que de en medio de ellos nacería un Mesías quien vendría a salvarlos; sin embargo, cuando esto sucedió, por la falta de comprensión lo desconocieron.

Yo me atrevo a considerar que aún hoy, existe esta misma clase de incomprensión. Inclusive algunas religiones han estado haciendo creer a sus seguidores que lo único que los salva es Jesús —refiriéndose al hombre— y que él vendrá nuevamente sobre una nube, cargado de poder y gloria para juzgar a vivos y muertos.

Yo respeto su manera de pensar y creencia, pero difiero de ellos. Mi punto de vista muy personal es que Jesús, el hombre, no tenía poder para salvar, y él mismo lo dijo: *"Yo por mí,* (refiriéndose al hombre) *nada puedo, el Padre en mí* (o sea el Cristo) *es quien hace las obras".* De lo que sí estoy de acuerdo es que si seguimos los pasos que él dio, basándonos en las enseñanzas que nos legó, entonces cada cual podrá salvar su propia alma como él lo hizo venciendo la muerte y demostrándolo con la resurrección. Suponiendo que nuevamente el Maestro se presentara ante nosotros, pero si nosotros no cambiamos nuestras actitudes negativas, y continuamos con nuestra incredulidad y falta de fe; muy poco podría él hacer por nosotros. Indudablemente que su presencia sería y sigue siendo una gran influencia precisamente para aumentar nuestra fe, no en él —su persona— sino en nosotros mismos. En el Dios interno que él encontró y que es la Fuente inagotable y eterna de Vida y que al encontrarla, jamás se separó de Él.

Jesús ya vino una vez y nos dejó su enseñanza completa, la clave de cómo orar para lograr nuestra unidad con el Padre, el Maestro no nos ocultó nada. Fueron otros quienes nos lo ocultaron y nos hicieron creer que sólo él podía hacer tales cosas. Por todos los medios y formas posibles él explicó a sus seguidores, hasta con parábolas, para que la entendieran mejor y la aplicaran en su diario vivir e hicieran lo que él estaba haciendo; lo dijo muy claramente en su declaración: *"El que en mí cree, las obras que yo hago, él las hará también, y aún mayores hará, si tan sólo cree"*. (Juan 14:12). Significa que si tenemos fe en ese potencial interno como él la tuvo, nadie podrá impedirnos la realización de nuestros deseos y propósitos.

También nos dijo: *"Conoceréis la verdad y la verdad os hará libres"*. (Juan 8:32). Precisamente cuando conocemos esta verdad como él la conoció, entonces también podremos decir como él: *"Mi Padre y yo somos uno"*, y haremos lo que él hizo. Jesús sabía que lo humano en él era limitado pero aceptó lo Divino en él —el Cristo— el cual es ilimitado, y por eso mismo dijo: *"Yo por mí nada puedo, el Padre en mí es quien hace las obras"*.

Esta es la Verdad que nos hace libres. Libres de toda responsabilidad, de nuestro ego personal. Es el hombre Cristo —la individualización de Dios en cada uno de nosotros— quien está haciendo Su demostración o expresando el potencial interno, el cual es inherente a Dios.

El ser humano que tú eres ahora es transitorio, porque no tiene vida por sí mismo. En cambio tu ser interno es espiritual, una individualización del Padre-Espiritual de todos, es tu ser verdadero, el Ser que nunca cambia y es eterno. Es la Mente-Dios que a través de la ley del pensamiento busca continuamente manifestar Su perfección en ti. Esta parte en ti es tu espíritu y cuando tú estás a tono con el Espíritu Universal —a través de la meditación—, entonces es cuando puedes traer a manifestación todos tus anhelos y llegas a la realización de que, *"Con Dios, todas las cosas son posibles"*.

Una vez entendida la naturaleza de nuestro ser —la cual es espiritual—, principiamos a progresar en nuestro desenvolvimiento o crecimiento espiritual. Entonces elevamos nuestra conciencia hacia la unidad con lo Divino. En este nuevo estado de conciencia pensamos y hacemos cosas nuevas, las cuales producen y nos benefician grandemente, tanto a nosotros como a los demás. Las viejas actitudes como el egoísmo, la envidia, el temor y la ansiedad, ellas desaparecen de nuestra mente. Nada que sea contrario al bien puede afectarnos.

Todo hombre es una idea perfecta de Dios. Esto quiere decir que en la Mente-Dios existe una imagen de perfección de Su creación, tú y yo. Cuando aceptamos esta poderosa verdad y la establecemos en nuestra mente mediante afirmaciones como: *"Yo soy un ser espiritual, libre de pecado y mancha; perfecto e íntegro". "La imagen que Dios tiene de mí, es una imagen de perfección y ella se manifiesta en todo mi ser ahora".* Entonces todo principia a ser diferente, nuestra percepción de lo bueno estará a nuestro alrededor.

Cuando realizamos que la Ley Divina siempre nos responde de acuerdo a nuestro pensamiento, entonces nosotros unimos nuestro pensamiento con Dios para ser un canal limpio de expresión y ser un cocreador con Él manifestando en lo visible lo que ya existe en el plano invisible. Por lo tanto, para que continúe la creación y se realice según el plan Divino, el hombre debe de comprender no sólo la acción de la Ley Mental, sino también su relación con el Universo, así como su unidad con él.

Jesús, el Gran Maestro entendió esta Ley y el plan Divino y repetidamente dijo que él había sido enviado por Dios para hacer Su voluntad, diciéndonos: *"Yo he venido para que tengan vida y la tengan en abundancia".* (Juan 10:10). También leemos en Juan 3:16: *"Porque de tal manera amó Dios al mundo, que ha dado a su Hijo unigénito, para que todo aquel que en él cree, no se pierda, mas tenga vida eterna".*

Esta misma misión ha sido encomendada a todo hombre, y hasta no lograr esto, no estaremos satisfechos en nuestra vida.

El hombre espiritual se identifica como el YO SOY. El ser humano se identifica como el hombre Adán, el "yo puedo". Sin embargo, cuando estamos centrados en nuestra unidad con Dios, estamos expresando al ideal Divino. Cuando el "yo puedo" está actuando basándose sólo en el plano físico/material, él pierde su conexión con su Fuente y centra toda su atención en lo objetivo, simbolizando en esta forma al hombre Adán que escucha a la serpiente —su propio intelecto— y se esconde de Jehová Dios.

Al desconectarse mentalmente, él pierde su conciencia espiritual y en este estado de inconsciencia, la auténtica Fuente de provisión suspende su abastecimiento y es cuando empieza el sufrimiento y las limitaciones, así como todo tipo de malestares; porque recurre a las fuerzas de reserva de su organismo que simboliza "El Árbol de la Vida".

Es en esta conciencia de separación que la Biblia describe al hombre siendo arrojado del Jardín del Edén por Dios.

Pero nosotros sabemos que el hombre mismo ha originado su salida del Edén en su ignorancia de no conocerse a sí mismo, así como el no saber que su Creador le ha dado el don de pensar y el poder para escoger y rechazar todo aquello que no quiera experimentar en su vida. Por esta razón el se sale del Paraíso al cometer el error o "pecado" de escoger y pensar en dualidad; bueno y malo. Todo esto se origina en su mente. Cuando él reconoce su verdadera identidad, entonces eleva su conciencia de lo humano a lo Divino y así es como es colmado de bendiciones por su Padre como le sucedió al Hijo Pródigo de la parábola contada por Jesús.

Toda idea se manifiesta en lo visible mediante un proceso de la Trinidad como ya se ha explicado anteriormente. Por lo tanto, nuestro cuerpo es una idea que está fundada y arraigada en la Mente-Dios la cual es perfecta. Así, nuestro cuerpo está rebosante de un fluir de Vida perpetua la cual repara todas las partes que puedan estar dañadas y sana cualquier enfermedad.

Si deseamos gozar de un cuerpo permanentemente saludable, tenemos que contribuir con él, manteniendo nuestros pensamientos enfocados en lo positivo, centrado en lo espiritual que es lo real y eterno. Tenemos que alimentarlo con comidas nutritivas y bebidas saludables. Mantenerlo siempre relajado, darnos tiempo para descansar cuando hayamos tenido un día de mucha actividad. Si esperamos que haya tiempo para descansar tal vez no lo tengamos, pero debemos de darnos ese tiempo que es muy importante. Forjarnos una disciplina para orar porque al hacerlo, estaremos también eliminando las fatigas físicas y nuestra mente estará también libre de preocupaciones; entonces realizaremos la verdad de: *"Mente sana, cuerpo sano"*.

Nosotros debemos de tomar conciencia acerca de nuestro cuerpo y adherirnos a la verdad de su origen y propósito para lo cual fue creado. Recuerda que tú eres un ser espiritual teniendo experiencias humanas para lo cual tú posees un cuerpo. Este cuerpo que ahora tienes es la idea de la Mente Divina, la creación del Espíritu para expresarse como tú. Por lo tanto tu trabajo como el de cada uno de todos nosotros, es manifestar la semejanza de nuestro cuerpo espiritual: Un cuerpo perfecto.

Si Dios nos creó a Su imagen y semejanza, significa que cada uno de nosotros somos una parte de lo que Él es. Como también sabemos, Dios es Espíritu, con Conocimiento Propio; Él es Alma, el proceso creativo; Él es

Cuerpo, la expresión en lo físico. Como podemos ver, esto es también una Trinidad, como la que conforma nuestro ser finito. Dios, como Espíritu es Omnisciente, Omnipotente y Omnipresente. Él es el Ser Divino en el cual nosotros hemos pensado y creído; al que le hemos orado y adorado. Dios como Ley, es la forma como Él trabaja y manifiesta Sus deseos e Ideas; y Dios, como Cuerpo es la manifestación o expresión de Sí Mismo en el mundo visible como cada uno de nosotros. Podemos considerarnos como Su máxima creación en el plano físico, porque en esencia somos lo que Él es y tenemos lo que Él tiene; poder, sabiduría, inteligencia; sólo cualidades y virtudes.

Para que no haya confusión, o malos entendidos, vamos a clarificarlo un poco más. No estamos comparándonos con la grandeza de Dios-Padre, desde luego que no. Sólo estamos definiendo que no podemos compararnos con Él en grandeza; pero sí en esencia. Como la gota de agua del océano que no es todo el océano, pero si analizamos esa gotita, ella contiene exactamente los mismos elementos que componen el océano mismo.

De esta misma forma todos nosotros somos esa Vida-Dios individualizada. Si realmente creemos y aceptamos esta Verdad, y si estamos conscientes de nuestra unidad con nuestro Creador, entonces Él principia a crear cosas a través de nosotros, de acuerdo a la Ley y Orden que rige el Universo. Asimismo, podremos decir como el Maestro dijo: *"Yo por mí no hago nada, el Padre en mí es el que hace el trabajo"*.

Todo esto que estamos exponiendo lo resumimos como una teoría o evidencia aceptable, ya que intelectualmente tal vez no lo podamos aceptar porque no lo vemos o percibimos con nuestros cinco sentidos. El Dr. Ernest Holmes nos dice: *"La filosofía y la aplicación metafísica descansan sobre dos o tres muy simples proposiciones teóricas: TODOS LOS PRINCIPIOS INVISIBLES SON TEÓRICOS; por lo que nosotros no podemos apreciarlos con nuestros sentidos físicos; no podemos tampoco pesarlos o medirlos. Vida, amor y belleza quizás puedan ser considerados teorías, porque nadie jamás los ha visto a ellos. Nosotros sólo vemos su manifestación pero sólo por esas manifestaciones, nosotros razonamos que ellos realmente existen. El trabajo metafísico descansa sobre la teoría que el Universo es una cosa de Inteligencia Absoluta, que esta Inteligencia es Existencia-Propia porque el Espíritu no ha sido creado".*

El hecho de no ver con nuestra vista al Principio, no es razón para que no hagamos uso de Él. De antemano lo usamos en cada momento, tal vez en forma inconsciente. Cuando tú haces una multiplicación o suma, tú estás usando el Principio de Matemáticas. Si tú multiplicas 2 x 2, el resultado es 4. Aun antes de ver el resultado éste ya existe. Por esta misma razón, cuando oramos, estamos usando un Principio o Ley Espiritual, la cual nos da un resultado aun antes de nosotros verlo.

Dependiendo de la forma en que lo hagamos y la fe que pongamos en ello, así obtendremos nuestra manifestación. Si tú deseas mantener tu cuerpo en perfectas condiciones, tú debes de aceptar que ya lo tienes; porque al afirmarlo tú estás accionando a una ley espiritual la cual te dará el resultado a tu creencia. Como dijera Jesús: *"Te será dado, en la medida en que tu lo creas".*

Por esta razón, afirma con entusiasmo, fe y convicción:

MI CUERPO ES EL TEMPLO DE DIOS EN MÍ;
ÉL ES PERFECTO. YO ALABO Y BENDIGO
MI CUERPO Y ÉL ME CORRESPONDE
CON UNA EXUBERANTE SALUD
Y UN PERFECTO BALANCE.
LA VIDA DE DIOS EN ÉL LO MANTIENE
SIEMPRE RADIANTE.

YO VIVO, ME MUEVO Y TENGO MI SER
EN EL ESPÍRITU. EL ESPÍRITU DE DIOS EN MÍ,
ES POR SIEMPRE; ES ETERNO.
EL MUNDO DONDE YO VIVO ES PERFECTO
Y LLENO DE PAZ. LA VIDA QUE AHORA VIVO
ESTÁ LLENA DE ÉXITO Y DICHA.

LA VIDA DE DIOS EN MÍ ES MI FUENTE
DE ABASTECIMIENTO.
LA VIDA DE DIOS EN MÍ, ES MI ENERGÍA,
FORTALEZA Y GUÍA. LA VIDA DE DIOS EN MÍ,
ME LLEVA HACIA EL ÉXITO SEGURO.
YO SOY UNO CON MI CREADOR Y TODO
ESTÁ BIEN EN MI VIDA ¡AHORA!… ASÍ ES.

LA ACCIÓN DE LA FE

La fe es una actitud de nuestra mente, es la evidencia de las cosas que aún no vemos. Todos nosotros tenemos fe, y no necesitamos buscar tener más fe para empezar. Con la fe que tenemos ahora es suficiente, pero debemos de saber usarla correctamente para poder obtener resultados deseados y así aumentaremos y reafirmaremos nuestra fe. Somos seres individuales, únicos e invulnerables. Nadie puede ver nuestros pensamientos conscientes, sentimientos, emociones o la fe; sin embargo nosotros podemos enlazar nuestra mente con la Fuente invisible que es todo sabiduría y la cual está en nuestro interior. Ella es conocedora de todo.

Nuestra fe la movemos a través de nuestro pensamiento el cual es creativo por naturaleza. En nuestro nivel subconsciente radica el Poder Creativo individualizado en nosotros. Este poder responde a nuestro pensamiento de fe, creencia y aceptación; ya sea éste verdadero o falso. Así nosotros siempre estamos usando nuestra fe mentalmente o sea pensando y visualizando nuestros deseos pero, ¿éstos son posibles? O imposibles. Lamentablemente la mayoría de estos pensamientos son cosas indeseables, porque no hemos sabido seleccionarlos correctamente. Hemos puesto nuestra fe a través de ellos sin saber que el resultado vendrá definitivamente porque la naturaleza del poder es: *"Dar un resultado igual, de acuerdo al pensamiento aceptado"*. Como cuando tú siembras en la tierra una semilla de melón, definitivamente tú cosecharás melones, no sandías, ¿no es verdad? De igual forma actúa este poder en nosotros realizando lo que hemos elegido tener, ya sea bueno o malo. Esto nos confirma que sólo hay un único poder, ¿cómo lo estás usando tú?

Como nuestro poder subconsciente no es selectivo, él solamente obedece fielmente la imagen de aceptación dada por nuestro consciente —nivel y función del pensamiento. Por esta razón y sin darnos cuenta, nosotros siempre estamos teniendo experiencias de acuerdo a nuestro habitual pensar. Si no sabemos seleccionar por nosotros mismos la información que estamos recibiendo o percibiendo, estaremos permitiendo que los demás nos digan qué tenemos que pensar y por consiguiente experimentaremos las cosas que ellos nos dijeron que deben de ser.

Se ha comprobado que el 85% de nuestro pensamiento habitual es negativo y el 15% positivo. Por ejemplo, estamos siendo bombardeados por información masiva a través de los medios de comunicación, llámese radio, periodismo, televisión o bien por personas que nos rodean o con quienes convivimos. En su mayoría, esta información es negativa como guerras, terrorismo, pobreza, tristeza, enfermedades y toda clase de limitaciones habidas y por haber que equivalen al 85%. Por supuesto que ninguno de nosotros quiere experimentar nada de esto, pero generalmente las personas piensan o dicen, "siento tristeza ver todo esto, pobre gente", "yo deseo salir de esta situación tan difícil", "si yo pudiera lo compraría", "si yo tuviera mejor suerte", etc., pero no ponen acción específica y clara para rechazar toda adversidad o solucionar situaciones, por consiguiente no hay resultado positivo pero sí negativo. Recuerda, lo que piensas o dices, tarde o temprano lo tendrás.

Si una persona no está preparada para rechazar la información negativa, vivirá una vida llena de carencias y limitaciones ya que dicha información penetra al nivel subconsciente donde se genera lógicamente los subsecuentes sucesos en su vida. Como tampoco genera nada bueno con el hecho de "desear", "querer", o "lamentarse", no determina ni define nada específico. De acuerdo a la ley del pensamiento, ésta no puede darle ningún resultado positivo. Por el contrario, sólo está generando confusión y esto manifiesta un desorden físico/mental.

Una persona que piensa así está usando su fe en forma negativa, dándole cabida a los pensamientos y creencias de los demás, sin percatarse que nadie le obliga a que lo crea. Ella ignora que está a cargo de sus pensamientos y que tiene el poder de seleccionar lo mejor, para eso Dios le dio el libre albedrío. En cambio se deja envolver en ese pensamiento colectivo o conciencia racial y por esta razón ella vive como ésos que piensan de manera negativa, siempre llenos de problemas y desdichas. Aprende a rechazar todo lo que no desees tener, di para ti mismo: *"Todo lo contrario al bien no tiene cabida en mi mente. Yo sólo acepto lo bueno; lo productivo; lo que me beneficia. Gracias Dios por haberme dado el poder de selección".*

Como ya dijimos anteriormente, nuestra fe se mueve a través de nuestro pensamiento. Por lo tanto, todo pensamiento tiene una expresión. Entre más específicos y claros sean nuestros pensamientos, más rápidos serán los resultados. Por esto nosotros debemos siempre de seleccionar lo que realmente deseemos tener para vivir una vida plena, rodeados de todo lo bueno. Verdaderamente nadie nos limita, somos nosotros los que nos limitamos por nuestra ignorancia de conocer cómo trabaja nuestra mente, a través de la cual siempre estamos moviendo nuestra fe.

La fe de la cual nos habla la Biblia, es una convicción basada en verdades eternas y principios espirituales que nunca cambian. Por ejemplo en Marcos 11:23 dice: *"En verdad os digo, que si alguno dijere a ese monte quítate y arrójate al mar y no vacilara en su corazón y quien creyere que lo dicho se ha de hacer, se le hará".* Si esto lo consideramos en su sentido literal, seguramente que nunca podremos aceptarlo intelectualmente. Pero si lo consideramos en su mensaje espiritual, entonces tiene su significado, el cual es probado científicamente. Aquí, *"ese monte"* se refiere a los problemas o dificultades. La palabra *"quítate"* significa, que se disuelva o desaparezca de nuestro pensamiento. *"Y arrójate al mar"*, el mar significa nuestro nivel subconsciente, que es donde radica nuestro poder para disolver todo mal que no deseemos experimentar. *"Y no vacilara en su corazón"*, el corazón también simboliza el subconsciente y la seguridad de lo que afirmamos.

La Biblia misma lo dice: *"Como un hombre piensa en su corazón, así es él"*. *"Y quien creyere que lo dicho se ha de hacer, se le hará"*, esto se refiere a la ley mental, que lo que pensamos, creemos y aceptamos como verdadero, se manifestará en nuestra vida.

Todos nosotros decimos que tenemos fe, y podemos decir que todo el mundo tiene fe en algo o en alguien. Por ejemplo, algunos tienen fe en el fracaso, otros en las enfermedades y hay quienes la tienen en los accidentes y también en el infortunio. Ahora yo te pregunto: ¿Cómo estas usando tu fe, positiva o negativamente? Analiza tu pensamiento habitual.

Yo te digo que tus pensamientos y actitudes mentales, constituyen tu propio "cielo" o "infierno". Te invito también a que tengas fe. Fe en la Ley Creativa, la cual es activada de acuerdo con tu propio pensamiento. Fe en la Bondad Divina y en todas las cosas buenas que ya nos han sido dadas por nuestro Creador y que sólo están esperando ser reconocidas conscientemente por nosotros para que todas ellas se hagan tangibles, visibles, en nuestro mundo y podamos gozar aquí y ahora el "Paraíso Terrenal" o "Tierra Prometida" o bien nuestro "Cielo".

Sin duda alguna, fue Jesús, El Gran Maestro Metafísico quien nos alentó a que tuviésemos fe en nuestras oraciones. Fue él quien nos enseñó la forma correcta de cómo debemos de orar para obtener las cosas por las cuales oramos. Él nos dijo: *"Pedid y se os dará; buscad, y hallaréis; llamad, y se os abrirá. Porque todo el que pide recibe, el que busca halla, y al que llama se le abre"*. (Mateo 7: 7-8). También nos dice: *"Y todo lo que pidáis con fe en la oración lo obtendréis"*. (Mateo 21:22). Esto quiere decir que cuando oremos debemos de tener fe, porque de antemano ya nos ha sido dado aquello por lo que oramos. En otras palabras, debemos de tener fe, creencia y aceptación ya que la fe como se dijo anteriormente, es una actitud de nuestra mente. Es el poder mental que hace visible lo invisible.

Fue a esta clase de fe a la que Jesús se refiere que debemos de tener cuando dijo: *"...Tened fe en Dios. En verdad os digo que el que diga a este monte: 'Quítate de ahí y arrójate al mar', no dudando en su corazón, sino creyendo que se hará lo que dice, lo alcanzará. Por eso os digo: Todo lo que pidáis en la oración, creed que lo recibiréis y lo obtendréis"*. (Marcos 11:22-24).

La fe es la que acciona al poder creativo en nosotros para que éste haga realidad nuestros deseos. Todos los metafísicos están de acuerdo que la fe plena del hombre es el poder mental, el cual conecta lo espiritual con lo material. La fe en nosotros acciona a las ideas para que éstas se materialicen a través de la ley de la mente en acción.

Esto lo podemos comparar como cuando nosotros deseamos cosechar zanahorias. Primeramente preparamos el terreno; luego seleccionamos las semillas y enseguida las sembramos. Nosotros hacemos nuestra parte y la madre naturaleza se encarga de producir ricas y sanas zanahorias. Aunque tú nunca hayas hecho esto, eso no quiere decir que tú no puedas sembrar también y obtener los resultados. Desde luego que no. Todo aquél que siembra cosecha, esto nadie lo puede negar; ni aún el más escéptico.

Esto mismo nos está diciendo Jesús; que todos los "milagros" que él hizo, nosotros también podemos hacerlos, si tenemos fe como él la tuvo —en el poder espiritual que está establecido en cada uno de nosotros. Mucha gente cree que solamente Jesús tenía acceso al Padre y por esta razón ellas oran a Jesús para que él interceda ante Él, para que sus plegarias sean escuchadas. En Juan 14:12-13 Jesús nos dice: *"En verdad, en verdad os digo: el que cree en mí,* (el que haga lo que yo hago) *hará las obras que yo hago, y las hará aún mayores que éstas, porque yo voy al Padre;* (porque yo estoy unido al Padre y Él a través de mí hace las obras) *lo que pidáis en mi nombre,* (cuando estés en esta conciencia como yo ahora) *yo lo haré,* (el Padre en mí lo hace) *para que el Padre sea glorificado en el Hijo"* (Dios se glorifica en ti Su Hijo amado, derramando Sus bendiciones sobre ti).

Si queremos progresar y tener éxito en nuestras oraciones, tenemos que dejar atrás las "viejas" formas de orar y asumir una nueva, lógica y más práctica forma de oración. Para nuestro propio provecho y bienestar, tenemos que olvidar al hombre "primitivo" que tenía un sentido de separación de Dios. Tenemos que aceptar que somos UNO con Él, como el Maestro decía: *"Mi Padre y yo somos uno"*. No pensar como el hombre que tenía la creencia de que cuando había tormenta y caían rayos, truenos, y sucedían terremotos; su Dios estaba furioso y vengándose de él por sus malas acciones y le oraba para calmar su ira y así salvarse de su coraje. También tenía la creencia de que podía pedirle favores y hasta venganza de los enemigos.

Esta misma forma de orar la encontramos en la literatura de los israelitas del pasado quienes oraban: *"Líbrame, oh Jehová, de mis enemigos. Escóndeme bajo la sombra de tus alas del perverso que me oprime, de mis mortales enemigos que me asedian"*. Y aunque hemos avanzado en nuestras actitudes acerca de Dios, aún gran número de cristianos continúan mendigando y pidiéndole favores a un Dios lejano, fuera de su alcance. Siguen amotinándose y haciendo ofrendas, así como sacrificios, para que Dios pueda escucharlos y sean atendidas sus demandas.

Muchos de ellos se sienten tan indignos de hablarle a Dios que mejor prefieren orarle a un santo, una virgen o a Jesús crucificado, para que les haga el "milagro" a cambio de portarse bien, de ayunar, decirles misas y hacer ofrendas ante sus altares. Indudablemente que todo esto no deja de ser una clase de fe, pero sabemos que esta fe no tiene un fundamento o base espiritual. O sea que es una fe mal fundada y por lo tanto no puede tener resultados inmediatos y duraderos. Puede tener algún resultado tardío pero éste siempre será temporal y nunca permanente.

Lo que todos nosotros debemos de tener es una mejor comprensión de los principios espirituales que envuelven nuestro ser verdadero. Incrementar nuestra fe en la omnipresencia de estos principios y nuestra relación con ellos, para poder ponerlos en acción y obtener los resultados inmediatos, deseados y que sean permanentes. Toda oración que hagamos, cuando la hacemos con fe, creencia y convicción, ella es acumulativa; y mientras más veces la hagamos, más energía espiritual será acumulada, hasta llenar el equivalente mental subconsciente en nosotros para luego tener una realización. Una vez llenado, entonces de lo invisible la ley mental hará visible nuestra petición o deseo.

"Orad sin cesar", nos dice San Pablo; y Jesús nos dijo: *"Pedid y se os dará; buscad, y hallaréis; llamad, y se os abrirá. Porque todo el que pide recibe, el que busca halla y al que llama se le abre".* (Mateo 7:7-8).

La clave en esta última declaración es, que no debemos de suplicar a Dios para que nos de lo que necesitamos, sino que debemos de reclamar a la ley mental en nosotros para que ella llene cada una de nuestras demandas; porque todo ya se nos ha dado. Cuando estamos experimentando carencias y teniendo limitaciones, estamos viviendo en una conciencia como la que vivió el hijo pródigo de la parábola contada por Jesús. ¿Recuerdas lo que el hijo pródigo dijo cuando empezó a padecer necesidad?

"*Me levantaré,* (cuando elevamos nuestra conciencia de escasez a la de abundancia) *e iré a mi padre quien es un padre rico; le diré que estoy arrepentido por lo que hice y le pediré perdón y él me perdonará".*

Cuando reconocemos que nuestro Padre-Dios es nuestra Fuente de provisión y le pedimos perdón por no haberlo hecho antes, Él nos llenará de bendiciones sin siquiera juzgarnos.

No esperes estar en necesidad para orar al Padre y darle gracias por la abundancia que tiene para ti y para todos. Ahora es el tiempo para iniciar un nuevo método, la Oración Científica. Si tú ya la has usado, sabes que no hay falla en ella, porque es un principio espiritual que no conoce fallas; si hubiere falla ésta será humana —tuya, por supuesto, como falta de fe, creencia, aceptación o duda.

Dependiendo de la situación o condición por la cual vayamos a orar, nosotros usamos una ley espiritual o principio que nos dará el resultado concerniente y el cual será exacto, matemático. Igualmente que cuando tú usas el principio de matemáticas, como cuando dices 4+4 son 8. Tú no tienes ninguna duda de ello, porque ya lo has hecho con anterioridad y en diferentes formas, como al contar cuatro manzanas más cuatro manzanas hacen un total de ocho, ¿no es verdad? Tú no puedes ver el principio que usaste, sin embargo tú ya sabes que el resultado es correcto y el mismo siempre, que nunca cambia. Si alguien dice que 4+4 es igual a 9 ¿quién cometió el error? Claro que no fue el principio, fue la persona.

De esta misma manera funciona nuestra oración científica. Método usado en Ciencia de la Mente, el movimiento filosófico/metafísico fundado por el Dr. Ernest Holmes en Los Angeles, California y muy difundido en toda la Unión Americana, México, Centro y Sudamérica así como en Europa, África, Australia y Rusia.

Este método se conoce como Tratamiento Mental Espiritual, u Oración Científica. Consiste en cinco etapas o pasos. Primeramente se requiere tener plena conciencia de lo que se va a tratar, por qué se va a tratar y para qué se va a tratar. Tener en nuestra mente muy claro y firme el propósito; asimismo debemos de ser específicos y definidos. Cualquier cosa que deseemos experimentar, siempre tiene que ser en beneficio propio y de los demás; jamás lo vamos a hacer en forma egoísta, sólo para nosotros o para perjudicar a otros, porque esto equivale a obrar en contra nuestra. Debemos de usar la Regla de Oro: *"Lo que quieras para ti, tienes que desearlo para los demás"* y *"No hagas a otro lo que no quieras para ti"*.

Nosotros nunca vamos a hacer un tratamiento por una condición, circunstancia o situación. Nosotros siempre vamos a *"ver"* desde nuestro nivel espiritual, que en el mundo de Dios no hay imperfecciones, carencias ni limitaciones. Para que nadie interfiera con nosotros cuando hagamos un tratamiento, debemos de comunicar a nuestros familiares o personas que nos rodean, no ser molestados durante el tiempo que dure nuestra oración. Procurar permanecer en un lugar tranquilo, sin ruidos, sentados muy cómodamente y muy relajados. Con nuestra mente libre de preocupaciones, dudas o ansiedad y con nuestro pensamiento fuera del mundo de los cinco senti- dos y centrarlo únicamente en el mismo lugar donde estemos sentados. Pensar sólo y únicamente en Dios. Or- denarle a nuestro cuerpo que se relaje completamente, cada cual a su manera o método que esté acostumbrado usar; pero permanecer siempre conscientes, no dormirse, porque el tratamiento debe hacerse y permanecer en un estado consciente para poder *"sentir"* o recibir primera- mente en nuestra mente el resultado.

Una vez hecho lo anterior, ya estamos listos para dar principio con el primer paso que es:

RECONOCIMIENTO. En forma audible para nosotros, expresamos que Dios es nuestro Padre-Celestial; el Espí- ritu Puro, la Mente Divina; la Fuente inagotable de Todo-Bien; que Él es la Única Presencia y el Único Poder en el Universo.

En esta forma cubrimos el primer paso, y seguimos con el segundo que es:

UNIFICACIÓN. Afirmamos: Este Poder el cual es Dios y yo: (Mencionamos nuestro nombre completo) somos UNO. En esta etapa debemos de imprimirle el *sentimien- to* de unidad porque estamos aceptando que en este instante no hay separación consciente entre Dios y noso- tros, sino unidad. Nuestra mente se une a la Mente-Dios; nuestro pensamiento en este momento *es* Dios, pensando a través de nosotros. ¿Recuerdas la gotita de agua del océano? Asimismo imagínate que tú eres una gotita de vida que cae al océano de la Vida-Dios y se funde en ella, formando una totalidad.

Seguimos con el tercer paso que es:

REALIZACIÓN. En esta tercera etapa de nuestro tratamiento, nosotros visualizamos o imaginamos con nuestra vista espiritual que nuestro deseo ya ha sido realizado. Hasta podemos *"tocarlo y sentirlo"*, no pensar que va a realizarse, sino que ya es una realidad, un hecho en el mundo espiritual; de ahí el nombre de este tercer paso o etapa.

Por ejemplo; si el deseo es obtener un automóvil, tú deberás de *"sentir"* que ya es tuyo, que ya lo tienes contigo. Imagina que lo puedes tocar, que te subes en él y lo vas guiando y disfrutando plenamente; que es el vehículo que siempre deseaste tener. El *sentir* verdaderamente que ya lo tienes es la clave. Es semejante como cuando tú tomas con tu cámara una fotografía; tú enfocas el objetivo y das el clásico "clic" —que equivale a tu *"sentir"*. Tú ya sabes que sólo requiere llevarlo a revelar para luego tener en tus manos la imagen tomada, ¿no es verdad? Pues así sucede con tu tratamiento, sólo requiere que tú *sientas* esa seguridad; que tu deseo ya fue realizado. Que no exista ninguna duda en tu mente acerca de ello. Por lo tanto, tú sientes y das gracias a Dios porque tu deseo ya fue llenado. Para esto tú sigues el paso siguiente.

Continuamos con el paso número cuatro que es:

ACCIÓN DE GRACIAS. En esta etapa del tratamiento el paso es automático. Cuando tú obtienes algo de alguien, tú siempre das las gracias ¿verdad? Pues igualmente ocurre con tu oración. Tú tienes un corazón agradecido y le dices a Dios: *"Gracias Padre por este magnífico regalo que me has dado"*. Y ahora te preparas para el último paso del tratamiento.

El último paso del tratamiento es:

LIBERACIÓN. Una vez hecho los cuatro anteriores pasos, tú liberas de tu mente tu tratamiento. Es decir, tú ya no tienes que pensar en él. Tú se lo dejas al poder creativo que está dentro de ti para que él lo realice o manifieste en el mundo visible para ti. Sólo di por ejemplo; *"Yo ahora dejo mi tratamiento* —u oración, como mejor lo sientas— *en manos del poder creativo en mí para que él lo manifieste. Yo sé que él sabe cómo hacerlo porque él es 'El Padre en mí'. Yo lo creo, yo lo acepto y yo sé que Así Es. Amén"*.

Este último paso al igual que los demás son de suma importancia, cada cual en su punto de acción. Sin embargo, cuando verdaderamente no lo liberamos, entonces el poder en nosotros no podrá trabajar en él para realizarlo. El estar pensando en él después de haberlo hecho, quiere decir que no lo has soltado. El pensar que: ¿lo habré hecho bien? Igualmente aún lo traes en tu mente y si sientes que: ¿no sería demasiado lo que pedí? O "tal vez esto se va a demorar mucho". Todas estas cosas son impedimentos que ocurren cuando no hemos confiado. Por lo tanto no lo hemos liberado de nuestra mente y por tal razón o motivo no puede haber realización.

Nuestra fe está puesta en la duda y no en el poder espiritual en nosotros y por esta razón podemos estar impidiendo la manifestación del deseo. Que no te ocurra como aquél niñito que le dijeron que Dios podía arreglar cualquier cosa; todo, absolutamente todo. Entonces ni tardo ni perezoso se fue a su recámara, cogió un carrito de juguete que estaba descompuesto y le dice a Dios: *"Me dijeron que Tú lo arreglas todo, así es de que aquí está mi carrito; a ver si es cierto que lo puedes arreglar"* —pero el niñito no soltó el carrito, lo tuvo agarrado y sostenido en sus manos todo el tiempo.

Transcurrido un rato, el niñito se desesperó porque vio que nada sucedía. Entonces desilusionado se dio la media vuelta y dijo: *"No es verdad que Tú lo haces todo"*. Enseguida escuchó una voz interna que le contestó: *"Hijo; no pude hacer nada porque tú no me lo dejaste;* —no lo liberó— *todo el tiempo lo tuviste agarrado contigo"*. Lo mismo nos puede suceder a nosotros cuando hacemos nuestro tratamiento. Si no lo "soltamos" o liberamos de nuestra mente, estaremos impidiendo la realización del mismo. El poder creativo o la ley del pensamiento en nosotros requiere de nuestra parte que tengamos confianza y fe, nunca debemos de presionarla para que nos de el resultado, repito sólo opera en su forma natural y a su debido tiempo. Ella no está sujeta al tiempo, ella sabe el momento preciso y exacto para darnos el resultado.

Una vez cubiertos los cinco pasos, en cuanto a ti concierne, tú ya haz hecho lo tuyo; o sea lo que a ti te corresponde hacer. Ahora deja que el poder creativo en ti haga su parte. Ve a tus actividades del día y olvídate del tratamiento. Como ya explicamos, a este poder no debemos de forzarlo, él trabaja sin prisa porque para él no existe el tiempo ni está sujeto a él, él lo hace en su forma natural. Sólo debes de tener fe y confianza plena en él.

De la misma forma como tú confías en la Madre Naturaleza que hace que germine, brote, crezca, florezca y de fruto la semilla que tú plantaste, asimismo trabaja para ti este poder. También en forma igual como tú cuidas tu jardín para que yerbas extrañas no crezcan en él, tu tratamiento requiere atención para que nada obstruya su proceso. La ayuda que tú das es no tener dudas e impaciencia, que son pensamientos negativos los cuales pueden surgir a tu mente. Ellos son como las yerbas indeseables que tú eliminas de tu jardín para que no echen a perder tu siembra. No permitas que ellos permanezcan contigo, afirma: *"Yo no tengo por qué o de qué preocuparme. El poder creativo en mí está a cargo de mi oración y todo está en orden divino. El resultado vendrá oportunamente, yo lo creo y lo acepto con gratitud. Amén".*

Tú llegarás a ser tu propio maestro en el arte de la oración científica o Tratamiento Mental Espiritual, si sigues fielmente estos sencillos pasos. Tú podrás sanar todas las áreas de tu vida, si tú lo haces con sinceridad y sobre todo con mucha fe, creencia y convicción. A través de este método tú estarás utilizando la Ley Mental o sea el mismo poder que usó Jesús para realizar los llamados milagros.

¿No lo utilizarías tú ahora mismo para sanar alguna parte de tu cuerpo o alguna área de tu vida? Tú debes de saber que para este poder en ti nada es imposible. ¿Has escuchado ésta frase? *"Con Dios, todas las cosas son posibles"*. Pues este Poder en ti, es Dios individualizado como tú; actuando a través de ti, a través de tu fe, creencia y convicción en este poder.

Tú puedes también orar por otra persona para ayudarla, pero antes tienes que experimentarlo en tu persona. Primero tienes que sanar tú, para poder ayudar a sanar a otros. Tienes que saber que no podemos dar lo que no tenemos. No es que seamos egoístas al decir que primero yo, si no que, si tú no has tenido resultados, aunque ores por otros, tu oración no tendrá el efecto deseado, porque tu canal por el cual fluye la energía sanadora estará obstruido y éste no podrá salir libremente para hacer su función. Todos somos canales de ayuda para los demás, pero como ya dije; primero tenemos que liberar toda obstrucción de nuestra mente para poder ser un auténtico canal de ayuda para otros.

Una vez que ya estés preparado para orar por otros, deberás de unificar a la persona por la cual vayas a orar, —cada tratamiento es individual, no quieras poner a toda la familia en él; uno por uno y cosa por cosa. En el segundo paso de la **UNIFICACIÓN**; una vez hecha tu unificación debes de decir: *"Desde esta conciencia de unidad en que ahora estoy, la palabra que enseguida* *expreso es por:* (Mencionas el nombre completo de la persona por quien vas a orar) *él o ella al igual que yo, es un ser espiritual y ambos formamos una misma unidad con Dios".*

Y en el tercer paso también hay una variante porque nosotros sabemos qué es lo que queremos, y cuando es para otra persona, debemos de dejar que Dios decida qué es lo mejor para él o ella. Si el tratamiento que vamos a realizar es por ejemplo para sanar una enfermedad, toma muy en cuenta que nosotros no vamos a *"ver"* a la persona que ella está enferma, sino que la vamos a *visualizar* completamente sana, perfecta. Porque el Espíritu de Dios en ella no reconoce enfermedad. Él o ella como ser espiritual que es, ella es íntegra. El tratamiento principia en tu mente y termina en tu mente. El resultado vendrá de acuerdo a tu fe, creencia y aceptación del mismo.

No importa si tú no tuviste una educación universitaria o sólo hayas cursado la primaria. El requisito indispensable para hacer un tratamiento es: tener fe, creencia, aceptación y convicción. No importa si eres católico, bautista, protestante, aún el ateo, él tiene firme su creencia en algo, pues esa creencia puede ser suficiente. Se cuenta que cierta persona dijo una vez, "gracias a Dios, yo soy ateo". No importa si perteneces a alguna secta, o determinada religión, no interesa el credo que profeses o la raza que seas. Tampoco importa si tú anteriormente fuiste una persona inmoral o deshonesta, si tú has caído en lo más bajo en tu vida o si abusaron de ti en tu infancia, niñez o juventud, y eso te hace sentir indigna. Todas esas cosas de tu pasado que no fueron nada buenas "aparentemente", ellas pueden ser sanadas. Algunas de estas experiencias que hayas tenido pueden ser borradas, otras tal vez no sea posible, pero sí puedes sobreponerte a ellas, es decir, que las puedes recordar pero ya no te perturbarán ni dañarán al ser recordadas. Todos nosotros hemos pasado por diferentes "pruebas" que tuvieron que ser de esa u otra forma, pero lo más importante es saber y comprender que ellas fueron necesarias pero ya pasaron; por lo tanto, pertenecen al pasado y allá deben de quedarse. Nosotros debemos de seguir siempre adelante, con la frente en lo alto y viviendo y disfrutando el presente, el ¡AHORA! Sembrar hoy únicamente lo que queremos cosechar para mañana, pensar sólo en lo que deseamos ser o experimentar ¡AHORA!

El gran apóstol San Pablo, fue un gran ejemplo a seguir. Es casi increíble concebir todas las vicisitudes que sufrió como lo dicen en la Segunda Epístola a los Corintios 11:24-28: *"Cinco veces he recibido de los judíos los treinta y nueve golpes; tres veces he sido azotado con varas, una vez apedreado, tres veces he naufragado; he pasado un día y una noche en los abismos del mar; viajes incontables, con peligros de ríos, peligros de salteadores, peligros de los de mi raza, peligros de los gentiles, peligros en la ciudad, peligros en el desierto, peligros en el mar, peligros entre los falsos hermanos; trabajo y fatiga, a menudo noches sin dormir, hambre y sed, días sin comer muchas veces, frío y desnudez; y, aparte de otras cosas, mi preocupación cotidiana: la solicitud por todas las iglesias".*

Así como San Pablo pudo librarse de todas estas cosas, nosotros también podemos hacerlo de las nuestras; si ponemos toda nuestra fe y esperanza en el espíritu en nosotros. Dios en nosotros incorpora a nuestra mente la fortaleza para nuestro cuerpo. Si tú consideras que tienes una mente débil y no te gusta pensar; rechaza ese pensamiento y ahora principia a cambiar tus actitudes mentales. Piensa y afirma: *"La Mente de Dios es mi mente. Ella es fuerte y estable"*. Practica esta afirmación cuantas veces puedas durante el día y antes de dormirte. Esto elevará tu mente de cualquier depresión y tú tendrás fortaleza, estabilidad y confianza en ti mismo.

Si tú crees y aceptas que eres un Hijo de Dios, entonces tú posees todas las cualidades y virtudes que tiene tu Creador. Dentro de ti existen todas estas cosas y si no las has experimentado es porque no las has reconocido. Afirma esto audiblemente sólo para ti: *"Yo soy Vida, Amor, Poder y Sabiduría. Dios en mí es paz, fortaleza y perfección"*. Grábatelo en tu mente, fórjate un hábito el decirlo. Tú te asombrarás que en un muy corto tiempo, tú ya no serás el mismo.

Tú pensarás y verás a las personas y cosas de diferente manera. Este será el principio de tu entrada al "Reino de los Cielos" del cual hablaba el maestro Jesús. Cuando una persona alcanza este alto estado de conciencia, entonces su cuerpo será saturado de la esencia espiritual y principiará a volverse una nueva persona; una real y verdadera individualización de Dios. Un limpio canal por el cual *"El Padre en mí hace el trabajo"*.

La fe es entendimiento, no es confusión; fe es convicción. La fe ha venido siendo reconocida a través de todas las eras. Ya sea la fe en Dios o fe en algún hombre o fe en lo que la persona hace. La idea de que la fe tiene solamente que ver con la experiencia religiosa, el pensar así es un error.

La fe es una facultad de nuestra mente, la cual encuentra sus más altas expresiones dentro de la actitud religiosa, pero existe el hombre que siempre ha tenido fe en sus habilidades y para lograr lo que él quiere, sobre todo confianza en sí mismo, él mantiene su fe inquebrantable que todo lo puede lograr y esta fe origina que el poder que radica en su ser le de el resultado deseado.

Pero, ¿por qué unas oraciones son contestadas y otras no? No es porque Dios desee más bien para unos que para otros. Esto es porque todas las personas, dentro de su cercanía a la realidad, reciben los resultados no por lo que ellos creen, sino por su creencia. Fe, es una confirmación mental acerca de la realidad.

Alguien ha dicho que el mundo está sufriendo por un gran miedo… El miedo de que Dios no conteste sus oraciones, pero vamos a analizar este miedo que nos posee y veamos si esto es verdad.

El miedo a la escasez por ejemplo, no es más que la creencia de que Dios no nos proveerá de lo que necesitamos. El miedo a la muerte, es la creencia de que la promesa de vida eterna que el Maestro Jesús vino a anunciarnos no sea cierta. El miedo de perder la salud, los amigos, las propiedades; todo esto viene de la creencia de que Dios no es todo lo que decimos que es: Omnisciente, Omnipotente y Omnipresente.

Pero, ¿qué es el miedo? No es nada más ni nada menos que el uso negativo de la fe. La fe mal usada en la creencia de dos poderes en lugar de uno. La creencia de que hay un poder opuesto a Dios. Cuando nuestra fe está basada en el conocimiento, sabemos que no hay nada que temer porque: *"Fe es la sustancia de las cosas que esperamos, la evidencia de las cosas que no vemos"*. (Hebreos II-1). *"Así, pues, la fe viene por la predicación, y la predicación actúa por la Palabra de Cristo"*. (Romanos 10:17). Aquí la palabra de Cristo se refiere al Poder Crístico que todos poseemos.

Los pensamientos dan forma a la sustancia a través de nuestra palabra de fe, creencia y aceptación, trayendo a manifestación las cosas conscientemente deseadas y aceptadas. Como lo dijera Jesús: *"De acuerdo a tu fe te será dado"*. Citas notables acerca de la fe:

Jesucristo

"De acuerdo a tu fe te será dado".

Mateo 9:29.

Blaise Pascal

"La fe abraza muchas verdades las cuales parecen contradecirse unas a otras. Entonces esta es fe: Dios se siente en el corazón, no por la razón".

San Pablo

"Fe es la sustancia de las cosas que esperamos y la evidencia de las cosas que no vemos".

San Agustín

"Fe es creer en lo que tú no ves. La recompensa de esta fe está en ver lo que tú crees".

Ernest Holmes

"Fe es creer en la presencia de un principio invisible y ley los cuales específica y directamente nos responde".

Krishna

"Un hombre consiste de la fe que está en él. Cualesquiera que sea su fe, él es".

B. Gita V:17.

Charles Fillmore

"Fe es un poder magnético que trae a nuestros corazones lo que deseamos de la sustancia espiritual invisible. Es un profundo conocimiento de que lo que hemos pedido es ya nuestro".

Shakespeare

"No hay truco en la fe simple y plana".

Voltaire

"Fe consiste no en creer en lo en lo que vemos que es verdad, sino en lo que parece ser falso a nuestro entendimiento".

Rev. Floyd Tupper

"El tener la fe de Dios, es lo opuesto a tener fe en Dios, eso crea la experiencia y la demostración, así como lo opuesto a la experiencia de esperanza y expectación".

Benjamín Franklin

"La forma de ver con fe es el disparar el ojo de la razón".

Muhamad

"Fe es esa creencia en el corazón dentro del conocimiento, el cual viene de lo no visto".

Sri Ramakrishna

"Dios solo puede realizarse a través de la verdadera fe".

Algernon C. Swinburne

"La fe vive donde la esperanza muere".

Madre Teresa

El fruto del silencio es…

La oración

El fruto de la oración es…

La fe

El fruto de la fe es…

El amor

El fruto del amor es…

El servir

El fruto del servir es…

La paz

Ayuda a incrementar tu fe afirmando de la siguiente manera:

SI TÚ TIENES FE
COMO UN GRANO DE MOSTAZA,
TÚ LE DIRÁS A ESA MONTAÑA:
MUÉVETE HACIA AQUEL LUGAR
Y ELLA SE MOVERÁ.

ESTA ES LA FE QUE CURA.
UNA FE INTERNA;
EL PODER QUE ES MÁS GRANDE
QUE NOSOTROS. QUE RESPONDE
A NUESTRA FE, LA CUAL SE MUEVE
A TRAVÉS DE NOSOTROS.

EN ORDEN DE TENER FE, YO TENGO
LA CONVICCIÓN DE QUE TODO ESTÁ BIEN.
PARA MANTENER MI FE, YO NO PERMITO
QUE NINGÚN MAL PENSAMIENTO
PENETRE A MI MENTE LA CUAL
DESPERTARÁ ESTA CONVICCIÓN.

YO PONGO TODA MI CONFIANZA Y FE
EN DIOS PARA SANAR MI CUERPO Y RESOLVER
CUALQUIER CONFUSIÓN E ILUMINAR
MI CAMINO PARA ALGO MÁS GRANDE,
MÁS NOBLE Y BUENO.

YO TENGO FE EN EL AMOR DE DIOS
POR SIEMPRE. ÉL ESTÁ CUIDANDO
DE TODOS NOSOTROS Y YO CREO
EN LA LEY DIVINA A TRAVÉS
DE LA CUAL ESTE AMOR TRABAJA.

YO AHORA DEJO FUERA DE MI MENTE
LA FE QUE TENÍA ACERCA
DE LAS LIMITACIONES Y LA ESCLAVITUD.
YO AHORA LE DOY UN NUEVO GIRO
A ESTA FE; PENSANDO SÓLO EN
LA ABUNDANCIA Y LA LIBERTAD
QUE TODOS TENEMOS DERECHO
A DISFRUTAR... Y ASÍ ES.

EL BENEFICIO
DEL PERDÓN

Para muchas personas, el perdonar se les hace difícil, pero al llevarlo a cabo, las más beneficiadas siempre serán ellas mismas. Jesús dijo: *"Porque si perdonan a los hombres sus ofensas, también les perdonará su Padre Celestial. Pero si no perdonan a los hombres, tampoco su Padre les perdonará sus faltas".* Mateo 6:14-15.

El perdón implica una gran decisión y fuerza de voluntad. Es una disposición interna; es mucho más que un sentimiento. En nuestra vida vemos muchas "aparentes" injusticias y el valor que tienen algunas personas para perdonar. Indudablemente que para perdonar de corazón, se requiere el sincero deseo de hacerlo. Mientras no exista este propósito, se hace mucho más difícil. Perdonar significa olvidar. Requiere no guardar ningún resentimiento, coraje, odio o rencor. En algunos casos es imposible borrar de nuestra mente el recuerdo del agravio, porque tal vez haya sido esquematizado desde la niñez y eso ha originado muchas de las veces un trauma psicológico —como odio contra todo y contra todos— que nos puede impedir el perdonar fácilmente.

No es suficiente el descartar una situación, debemos de perdonar a todos los involucrados en ella. Tampoco basta con sólo decir, "te perdono", tenemos que decirlo con sentimiento, que nos nazca de adentro. Asimismo tenemos que demostrarlo con hechos, o llevarlo a la acción. De lo contrario, si las personas no lo hacen de esta manera, ellas sin darse cuenta, en vez de olvidar lo sucedido, están recordándolo y lógicamente de acuerdo a la Ley Mental, lo están viviendo de nuevo; tan vívidamente como si estuviera sucediéndoles en ese preciso momento y haciéndose aún más daño. Si no es posible borrar el recuerdo, sí es posible sobreponerse a él. Significa que al perdonar, uno puede recordar el suceso pero ya no le duele o perturba. Esto se logra mediante la oración del perdón, que es algo sencillo, práctico y fácil de hacer. Se obtiene con ello el gran beneficio de la libertad de las "cadenas" que uno mismo se ha colocado, pues lleva consigo todo el tiempo dicho recuerdo que equivale a estar atado a él.

El perdón tiene que ser usado constantemente porque es un estado de conciencia, no es un gesto ocasional. La falta de perdón es un precio muy alto que tenemos que pagar mientras no lo hagamos y realmente no nos beneficia en lo absoluto. Jesús nos dice: *"Perdona a tus enemigos; bendice a los que te maldicen y ora por los que te aborrecen; no por el bien de ellos sino por el tuyo propio".* Porque si no lo haces, equivale a estar en una habitación a oscuras y tú estarías lamentándote y preguntándote ¿quién apagaría la luz? Sin darte cuenta que lo único que tú tienes que hacer es encenderla, oprimiendo el switch, ya que éste, está a tu alcance y puedes hacerlo, y al hacerlo tú tendrás luz. Al mismo tiempo te liberas de las tinieblas y puedes ver con claridad que todo está bien. Por tal motivo, si consideras que necesitas perdonar, si sientes que tienes alguna enemistad; perdona para que permanezcas libre, sin ninguna carga mental.

Un hombre que perdona, se considera tan santo como el que insistentemente procura mantenerse limpio, porque en realidad el acto del perdón constituye un baño mental. Es tan sólo soltar y dejar ir algo de nuestra mente que nos puede envenenar por dentro, y si permanecemos mucho tiempo con el coraje o resentimiento, eso nos puede producir hasta un cáncer y yo considero que nadie quiere padecerlo.

El ponernos en paz con nosotros mismos y con los demás, es una llave para que nada ni nadie perturben nuestra paz. No importan las personas, situaciones o condiciones; cuando estamos en perfecto balance y equilibrio, podemos discernir cualquier cosa y verla con aplomo y seguridad, sabiendo de antemano que para todo existe una solución. Si no está en nosotros el resolverla, entonces se lo dejamos a Dios para que Él la solucione con Su sabiduría y a Su manera y no a la nuestra. Llegamos a la conclusión de que el preocuparnos no solucionará nada y sí podemos hasta enfermarnos y al mismo tiempo también obstruimos el fluir de la Inteligencia Divina en nosotros para que nos venga la inspiración o idea para tal o cual solución.

Cuando alguno de nuestros seres queridos ha sido ultrajado o haya perdido la vida, mientras el causante de esto se encuentra en libertad, sonriente y feliz; es muy natural que se sienta coraje y sufrimiento por este hecho. Sin embargo, sabemos que todos tenemos una conciencia, la cual nos está juzgando de acuerdo con nuestros actos y acciones. Ella se encarga de "cobrarnos" cuando cometemos errores o violamos las reglas espirituales, como robarle a otro sus pertenencias, ultrajarle o privarle de su libertad; juzgar o criticar, privar de la vida a un semejante, etcétera. Lo primero que se pierde es la paz mental. Aunque muchas de las veces las personas que han violado la regla de oro de: *"No hagas a otro lo que no quieras para ti"*, y aunque nos presenten una cara de alegría, ellas no pueden realmente sentir felicidad. Internamente ellas están sufriendo porque han perdido su paz.

El amor es el bálsamo que nos reconforta y ayuda para poder perdonar y para efectuar una reconciliación con quien hayamos tenido alguna desavenencia. Cualquier persona que logre este acto de perdonar, habrá logrado el más alto exponente de su espiritualidad. El espíritu en nosotros no reconoce credos ni sentimientos negativos originados por nuestra humanidad. Él sólo ve y acepta lo bueno que hay en todos. Por esta razón somos nosotros los que debemos de mantener nuestro pensamiento enfocado siempre en lo correcto y no codiciar las cosas ajenas ni ver las faltas o fallas en los demás porque: *"Con la vara que midiéreis seréis medido"*, nos dijo muy claramente el Gran Maestro Jesús.

Así como la tierra fértil en cualquier parte del mundo hace germinar y dar fruto según la clase de la semilla, de la misma forma nosotros tenemos un resultado similar en nuestra vida de acuerdo a nuestros pensamientos pues ellos son las "semillas". La misma ley que gobierna la naturaleza, también nos gobierna a nosotros mismos de acuerdo a nuestro habitual pensar.

Como esta ley no tiene la facultad de decidir, ella sólo obedece y crea para nosotros de acuerdo a lo que hayamos elegido sea bueno o no. Por esta razón es nuestra la responsabilidad de saber qué realmente deseamos experimentar. Nosotros siempre estamos tomando decisiones o decretando para que las cosas vengan a nuestra vida. Se nos ha dado el poder de decidir lo que queramos, pero la mayoría de las personas ignoran esto y no se percatan de la gran responsabilidad que implica el tomar una decisión.

En ocasiones toman la decisión que menos les beneficia como por ejemplo, deciden enojarse, y tal vez hasta consideren que ellas tienen razón para estar enojadas. Pero si razonamos y lo vemos en una forma imparcial, ¿cuál es el beneficio que ellas obtienen al tomar esta actitud? Quizás alguien pueda decir: "Es que yo tengo razón de estar enojado, porque mi hijo me desobedeció y se fue al baile sin mi consentimiento".

En primer lugar, esta persona lo que siente es que su autoridad como padre no ha sido respetada. Segundo, asume la actitud de enojo, que equivale a "apagar la luz" y todo lo ve oscuro, generando sólo pensamientos negativos hacia su hijo. Tercero, como no sabe ni siquiera el lugar donde es el baile para ir a buscarlo, aumenta su coraje a tal grado que su metabolismo empieza a trabajar en una forma tan acelerada que hasta puede provocarse un infarto cardiaco.

En cambio el hijo se olvida por un buen rato de su desobediencia y sólo piensa en su diversión. Él sabe que "papá siempre se enoja, pero es 'buena onda' y acaba siempre por perdonarme". Pero en esta ocasión el padre ha tomado la firme "decisión" de no perdonar la actitud del hijo desobediente y está tan enojado que siente que ya no puede más, porque su autoridad no ha sido obedecida, por consiguiente empieza a generar en su organismo tanta "negatividad" que él en ese momento puede hasta caer como fulminado por un rayo.

Vamos a analizar esta situación desde nuestro punto de vista y comprensión:

1. De la misma forma en que se toma una actitud o decisión de enojarse, de la misma forma podemos asumir una actitud positiva ante esta situación.

2. Debemos de ser flexibles, comprensivos, y estar siempre dispuestos a dialogar en una forma armoniosa con nuestros hijos. Hacerles ver la conveniencia de tomar precauciones si es que a la fiesta donde van a asistir se prolongará hasta altas horas de la madrugada, si es que van a quedarse

hasta que finalice, que se hagan acompañar de otros amigos, nunca regresarse solos. Y si hay teléfono en el citado lugar, que dejen el número por si se llega a ofrecerse algo. Desde luego que no se sientan que están siendo controlados, sino que es una atención que están teniendo con la familia para que no se queden preocupados.

3. La confianza es básica. Debemos de hacerles sentir a nuestros hijos que tenemos confianza en ellos. Si no hay esa confianza, debemos infundírselas haciéndoles ver que si nos preocupamos por ellos es porque verdaderamente los amamos y no nos gustaría que algo desagradable les sucediera.

4. Al despedirlos darles la bendición como: *"Dios va contigo y Él te cuida siempre; recuérdalo. Cuídate tú también y disfruta de la fiesta".* En vez de decirle: *"Pobre de ti si llegas tarde, aquí estaré esperándote. No me dormiré hasta que llegues".*

Cuando hacemos una decisión correcta, nosotros nunca tendremos desavenencias con nadie, y no habrá resentimientos o sentido de culpa alguna; por lo tanto no tendremos que perdonar o pedir perdón. Consecuentemente permaneceremos en completa paz.

Tú debes de saber que las mejores armas con que contamos para enfrentarnos a la violencia son: La mansedumbre, la humildad y la sencillez. El reconocimiento de que nadie es más poderoso que otro —pues en esencia somos iguales porque poseemos lo mismo—, nos mantiene física y mentalmente tranquilos. La dignidad de una persona está más allá de toda estructura o ideología que atente contra ella. El coraje o la ira que hayamos generado en nuestro interior, pueden ser vencidos y borrados por el amor, y a través de éste surge el sentimiento del perdón.

Es fácil devolver con la misma moneda, pero es más profundo y difícil devolver bien por mal. Desde luego que es gratificante para todo ser que logre hacer esto porque él o ella habrán trascendido el llamado "mal". La Presencia Divina inunda el alma con la fuerza cósmica que es el Amor, y porque el Ser Supremo habita en el silencio de toda Su universal creación.

Cuando enfrentemos a la violencia debemos de ser dóciles. Frente a las pasiones demostremos fortaleza; ante las dificultades flexibilidad; frente a la soberbia humildad. Porque así permaneceremos inmaculados ante las contrariedades, calumnias, agravios y ofensas. Nada podrá perturbar nuestra verdadera esencia que es amor, perfección y paz. Quien genere actitudes de violencia, éstas regresarán e él, si nosotros las rechazamos con nuestras bendiciones de amor y paz. Habremos cubierto el requisito que el Gran Maestro Jesús nos enseñara: "*Amad a vuestros enemigos, bendecid a los que os maldicen, haced bien a los que os aborrecen, y orad por los que os ultrajan y os persiguen*". Mateo 5:44. En esta forma nosotros siempre estaremos protegidos y permaneceremos en perfecto balance y equilibrio, en perfecta paz.

El Maestro Jesús nos dice en Marcos 11:25 lo siguiente: "*...si tienen algo contra alguno, perdónenlo, para*

que también el Padre Celestial les perdone sus faltas".
Esto nos quiere decir que cuando hagamos nuestra oración, siempre debemos de estar en completa paz. En paz
con nosotros mismos y con todos los demás y así la oración pueda ser eficaz.

Por medio de la oración es como nosotros elevamos
nuestra conciencia hasta la Presencia Divina dentro de
nosotros mismos; hacia el Cristo morador que vive en el
centro de nuestro ser.

Cuando perdonamos, liberamos de nuestra mente
cualquier pensamiento o sentimiento negativo, dejamos
ir el falso orgullo y obstinación. Al perdonar damos a los
ofensores nuestro amor, compasión y comprensión. A
medida que vamos perdonando, eliminamos todo resentimiento y sentimiento de culpa o rechazo. Gradualmente
nos vamos capacitando para ver por encima de las personalidades, situaciones y condiciones externas. A medida
que vayamos viendo todo con amor, haremos conciencia
de que aquellas personas con quienes estábamos enoja-
dos o molestos, ellos están también experimentando sus
propios retos personales, los cuales nosotros ya hemos
superado al haberlos perdonado.

Al otorgar nuestro perdón y perdonarnos nosotros
mismos, entonces este perdón se convierte en el vehículo
por el cual cambiamos nuestras percepciones. Asimismo
nos elevamos sobre nuestros pasados temores, falsos juicios, críticas, resentimientos y rencores. Continuamente
tenemos que recordarnos a nosotros mismos que el verdadero Amor, el Amor incondicional, es la única Realidad

por la cual obtenemos una percepción de la Verdad y de la Perfección.

El amor es el mediador ante lo opuesto a él y sólo percibe lo bello y lo bueno. Por lo tanto el perdón constituye el medio para corregir nuestras percepciones erróneas, porque a través de él, podemos ver y expresar amor para nosotros y para los demás.

Cuando de verdad hemos perdonado, entonces podremos ver con claridad que nadie nos puede hacer daño, ni nosotros debemos intentar hacerlo a otros, porque eso es atentar contra la vida misma que estamos viviendo. Asimismo podemos descartar y pasar por alto todo lo que habíamos creído que otros nos habían hecho o causado daño, o algún mal; o lo que nosotros habíamos creído haberles hecho a ellos.

Cuando guardamos resentimientos o rencores, entonces estamos permitiéndole al temor que perturbe nuestra mente. De esta manera nos convertimos en prisioneros de nosotros mismos porque todo lo tergiversamos y lo vemos mal. Al aceptar el perdón y perdonar, nosotros mismos abrimos los grilletes y quitamos los candados de las cadenas que nos habíamos puesto encima. El perdón corrige nuestra percepción del error, al considerar el sentido de separación. Esto nos permite la reconciliación entre unos y otros y así experimentamos un sentido de unidad.

El perdón que aquí se define, no constituye el significado habitual que la mayoría de la gente conoce. Perdonar no significa adoptar una actitud de superioridad y tolerar en otros una conducta que desaprobamos, sino que significa más bien corregir nuestra propia percepción errónea de que la otra persona nos ha hecho daño. Cuando perdonamos, nuestra mente se despeja y despoja de toda personalidad. En cambio cuando nuestra mente se rehúsa perdonar, estamos llenos de confusión y la personalidad predomina ante nosotros arrastrándonos hasta el sentimiento de considerarnos "poca cosa" ante una alta personalidad. También con esta actitud nos aferramos a que nosotros siempre tenemos la razón y que todo el mundo está equivocado. Nos envolvemos continuamente en conflictos y siempre consideramos que sólo nosotros tenemos la razón.

Nosotros debemos de hacernos un autoanálisis como: Cada vez que considero que alguien es culpable, ¿realmente esto me beneficia? Si tomo en cuenta que somos unidad, al juzgar a alguien me estaré juzgando a mí mismo y estaré a la vez albergando el sentimiento de culpa e indignidad. Si yo no me perdono a mí mismo, tampoco podré perdonar a los demás. Si deseo que todo mejore en mi vida, debo considerar estas cosas porque al final de cuentas el más beneficiado siempre seré yo.

Se cuenta de una señora a quien le habían diagnosticado cáncer y que la Ciencia Médica no había podido curar ni encontrar causa alguna para que ella lo padeciera, porque era una persona bondadosa, caritativa, y se notaba muy serena. Sin embargo la medicina recetada no hacía mucho para sanarle. Se le sugirió que consultara con un Practicante o Ministro en la Ciencia Mental, porque a todas luces su enfermedad era mental, psicosomática. Ella aceptó la sugerencia y concertó una cita con la persona indicada. Cuando le contó su historia al Practicante, él le dijo que la enfermedad que ahora estaba experimentando era sin duda alguna el reflejo de algún pensamiento altamente negativo como lo es el odio y que tal vez ella inconscientemente lo había establecido en su subconciencia y por lo tanto el resultado presente era el cáncer.

Si la Ciencia Médica no había podido controlar su enfermedad, era porque dicha Ciencia sólo ayuda en lo físico, o sea que está basada en los estudios que hace a través de análisis y aparatos que diagnostican una posibilidad o suposición acerca de la enfermedad y el médico de acuerdo a esto, con su conocimiento adquirido, suministra el medicamento que considera puede ser efectivo. Pero cuando la enfermedad no cede, entonces él ya no puede hacer nada. Es cuando toma la decisión de decirle al paciente que él o ella necesitan la ayuda de un Practicante en la Ciencia Mental porque su padecimiento es de tipo mental y porque él sabe que la mayoría de las enfermedades penetran por la mente y si él no está lo suficientemente capacitado en esta Ciencia él opta por enviar al paciente con alguien que sí conozca el proceso mental.

Ella argumentó que no tenía ningún resentimiento o coraje, mucho menos odio hacia las personas o alguien en particular, pues todo mundo era muy bueno con ella, porque siempre había actuado correctamente y su conducta y comportamiento habían sido intachables. Ella respetaba a todo mundo y todo mundo la respetaba. Cuando el Practicante le explicó la mecánica de nuestra mente, que nada pasa por casualidad, que las cosas no se hacen por sí mismas, sino que siempre hay una causa que las origina y ellas son a través de nuestra mente. Que lo que está en nuestro exterior es el producto de nuestro interior. Por esta razón, si queremos que lo externo cambie, debemos cambiar la causa que lo origina. En su caso particular, si ella quería que la enfermedad desapareciera de su cuerpo, ella debía de cambiar el origen y este estaba en su mente subconsciente.

El Practicante hizo su trabajo mental basado en el Tratamiento Mental Espiritual y le dijo a la señora que no sólo podemos sentir coraje hacia las personas sino también podemos sentir enfado o coraje por ciertas actividades que nos desagradan tener que hacer. Que tratara de recordar si a ella le molestaba o daba coraje al hacer algún quehacer en su casa o que le perturbara el ruido que hacen ciertos animales, en fin, ella iba a llegar a la causa si dedicaba un tiempo para meditar o reflexionar al respecto.

Se le dio un método adecuado y en una semana ella le llamó al Practicante y le dijo que había descubierto que el coraje que ella tenía era el "no poder mantener siempre limpia su casa". Desde joven su mamá le había encomendado la tarea de mantener "siempre limpia" la casa y como vivían en un área donde soplaba mucho el viento y había mucha tierra suelta, se pasaba la mayoría de su tiempo barriendo y limpiando y nunca pudo mantener limpia su casa. Cuando ella creció y tuvo su primer pretendiente, nunca la dejaban salir si antes no dejaba limpia la casa y como la casa era bastante grande, su coraje también aumentaba. Al final, ella se casó y tuvo una vida feliz, pero continuaba su tarea de limpieza y cada vez que tomaba la iniciativa de hacerlo, el coraje ahí estaba presente en su mente y éste seguía creciendo, hasta que se convirtió en odio.

El Practicante entonces le dijo que nada ni nadie tiene poder sobre nosotros para hacernos o causarnos daño, que somos nosotros mismos quienes nos causamos los daños y por lo tanto, somos nosotros quienes tenemos que hacer algo para eliminar ese daño. Por lo tanto lo que ella tenía que hacer era usar el método para perdonarse a sí misma, si es que realmente quería sanar. Ella estuvo de acuerdo y empezó a ponerlo en práctica.

Diariamente, dos o tres veces al día, ella se sentaba cómodamente en un sillón. Cerraba sus ojos y meditaba en la forma siguiente: *"Yo,* (Mencionaba su nombre completo) *me perdono a mí misma por haberme herido y haberme hecho daño inconscientemente. Yo alabo y bendigo mi cuerpo que es el Templo de Dios en mí. Mi cuerpo es perfecto y maravilloso. Dentro de mí hay perfecta circulación, perfecta asimilación y perfecta eliminación. No hay congestión ni confusión, tampoco inacción en ninguna parte de mi cuerpo porque yo soy una con el ritmo infinito de la Vida. Cada célula, átomo y molécula que conforman mi cuerpo están saturados de la energía Divina espiritual y todo está en perfecto Orden Divino. Solamente hay una Vida, esa Vida es Dios; esa Vida es*

Perfecta y esa Vida es mi vida ahora. Gracias Dios por haberme hecho a Tu imagen y semejanza, por lo tanto yo soy joven, fuerte, saludable e íntegra. Yo lo creo, yo lo acepto con gratitud sabiendo que Así Es". En tan sólo tres meses ella estaba completamente sana y lucía efectivamente como lo había estado afirmado: Joven, fuerte y saludable; llena de vida y feliz. El perdón hizo que ella retornara a su estado original que era el estar completamente saludable y nunca más volvió a enfermarse.

Ahora yo te invito para que reflexiones. Si es que estás en una situación similar o si guardas en tu mente algún resentimiento o coraje contigo mismo o contra alguien, o bien contra cualquier cosa, ¡elimínalo ahora mismo! No lo guardes por más tiempo, porque te puede llevar hasta la tumba misma.

Piensa en esto; nadie lo puede hacer por ti. Tú tienes que hacerlo. Si aún no te has enfermado, que bueno, pero no esperes estarlo para principiar a hacer la oración del perdón. Recuerda que el más beneficiado siempre serás tú mismo.

Muchas de las veces las personas que nos hirieron o causaron daño, ya no están en este mundo, sin embargo, seguimos guardando en nuestra memoria las ofensas y los agravios; tan vívidos que parece que fue ayer cuando sucedió esto o aquello.

Yo te digo, no vale la pena autocastigarnos. No te compadezcas ni busques que te compadezcan, en tu mano está el remedio, ponlo en acción ¡ahora! No demores por más tiempo tu salud. Tú podrás tener mucho dinero, pero no tendrás nunca el suficiente para comprar la salud porque ella no tiene precio ni puede ser comprada.

El mejor doctor del mundo está dentro de ti y eres tú mismo, créelo y: *"Te será dado en la medida en que tú lo creas",* nos dijo el Gran Maestro Jesús. Es una Verdad que aún hoy en día está vigente, ¡pruébala! y: *"De acuerdo a tu fe, así sea en ti".*

Si tú estás decidido a perdonar y ser perdonado afirma:

HOY, YO DECIDO PERDONAR Y SER
PERDONADO. AL FINALIZAR CADA DÍA
DE MI VIDA, YO ME TOMO TODO EL TIEMPO
QUE NECESITE PARA PERDONAR
Y SER PERDONADO.

YO REEMPLAZO LA ARROGANCIA,
OBSTINACIÓN Y ORGULLO CON EL AMOR
DIVINO QUE TODO LO PERDONA.
YO SOY PACIENTE Y COMPRENSIVO.

YO ME PERDONO A MÍ MISMO POR
TODOS LOS ERRORES Y FALTAS COMETIDAS
EN EL PASADO. DIOS YA ME HA PERDONADO
Y YO ME HE PERDONADO TAMBIÉN.

YO SUELTO Y LIBERO PARA SIEMPRE
MI PASADO; YO APRENDO TODO LO MEJOR
DE ÉL Y LO DEJO DONDE ESTÁ.
YO AHORA SOY UN SER LIBRE.

NADA ME ATA, PORQUE YO HE PERDONADO
Y HE SIDO PERDONADO TAMBIÉN.
TODOS SOMOS HIJOS DEL ALTÍSIMO
Y YO SÓLO VEO Y SALUDO LA DIVINIDAD
EN MÍ Y EN CADA UNO DE MIS SEMEJANTES.

YO AHORA DISFRUTO DE MI
DERECHO DIVINO Y MI PRESENTE
EN EL CUAL VIVO, ES FELIZ.
YO LO CREO YO LO ACEPTO Y ASÍ ES.

EL AMOR
TODO LO PUEDE

Muchas cosas bellas han sido dichas y escritas por poetas y escritores acerca del amor. Pero pocos han sido los que hablan del verdadero Amor; de ese Amor incondicional, del Amor Divino; del Amor que todo lo puede. Medita por un momento en este Amor y acéptalo, porque éste está en el centro de tu propio ser. Él está ahí, esperando que tú lo reconozcas y listo en todo momento para que lo expreses. No temas darlo, porque entre más lo des, Él regresará a ti multiplicado y tú siempre tendrás este Amor, el cual te estará rodeando de todo lo bueno.

Es imposible definir este Amor porque sería tanto como querer definir el Infinito y eso no es posible para nosotros. El Amor es una emoción, un sentimiento y tal vez el de más alto grado que puede experimentar el ser humano. Esto sin embargo es tan sólo un aspecto muy, pero muy pequeño del Amor.

San Juan nos dice: "*Dios es Amor y el que vive en el Amor, vive en Dios y Dios vive en él. Si alguien dice que ama a Dios y sin embargo odia a su hermano, es un mentiroso; pues quien no ama a su hermano a quien ve, no puede amar a Dios a quien no ve*".

Existen diferentes expresiones de amor. Por ejemplo el amor de los padres hacia los hijos; el amor entre los amantes; el amor a nuestro prójimo; el amor al trabajo; el amor a nuestro país; etcétera, etcétera. El Gran Maestro Jesús nos dice que el mayor mandamiento de la ley es el amor. Se dice que uno de los fariseos conocedor de las leyes y queriendo poner a prueba a Jesús le preguntó: "*Maestro, ¿cuál es el mandamiento más grande de la ley?* —Jesús le respondió: *Amarás al Señor, tu Dios, con todo tu corazón, con toda tu alma, y con toda tu mente. Éste es el más grande y el primero de los mandamientos. El segundo es semejante a éste y es: Amarás a tu prójimo como a ti mismo. De estos dos mandamientos penden toda la ley y los profetas*". Mateo 22:36-39.

En otras palabras, Jesús nos está diciendo que debemos de amar con todo nuestro corazón, o sea con toda sinceridad, porque nuestros sentimientos y emociones están simbolizados por el corazón. Y que amemos con toda nuestra alma que representa al poder creativo en nosotros, el cual genera amor desde el centro de nuestro ser. Asimismo, que amemos con toda nuestra mente, que significa con todo nuestro intelecto. Nuestro intelecto es el canal de nuestra percepción del mundo externo, o sea el mundo objetivo que nos rodea.

En esta forma estaremos cumpliendo con la ley que los antiguos llamaban "La ley y los Profetas"; Que se refiere a la Ley impuesta por Moisés y de las enseñanzas de los Profetas. Jesús nos indica que ante todo, nosotros debemos de amar, porque es el primer mandato no sólo de la Ley y los Profetas sino de la Ley Divina. Si entendemos esto, cuando damos amor estamos dando algo que es parte de nuestra naturaleza misma. Todos nosotros también necesitamos de alguien que nos ame, porque es parte esencial para nuestra subsistencia y cuando estamos cumpliendo con nuestra parte, de dar amor; lógico es que recibamos también más amor, porque estaremos accionando la ley de compensación o de iguales —lo que das recibes.

En la revista *Time* que se publica en los Estados Unidos de Norteamérica aparece un interesante reportaje acerca de la necesidad que todos nosotros tenemos de recibir amor o ser amados. Esta revista hace alusión a un cortometraje de veinte minutos de duración hecho por el psicoanalista Dr. René A. Spitz cuyo título es: "Lo que significa la falta de cariño".

En dicha película se relata la vida de 91 niños lactantes de un orfanatorio de América Latina. El relato principia diciendo: "...*Un bebé no solamente vive de leche. Lo más esencial para él, para poder crecer y aún para subsistir es el amor maternal*".

Se trata de un orfanato de bastante antigüedad, bien equipado y según todas las normas, bien manejado, sus 91 internos gozaban de un buen nivel de alimentación, vestimenta, luz, aire y juguetes. Enfermeras competentes los alimentaban y bañaban a sus debidas horas. Sólo les faltaba una cosa, "amor maternal".

Las enfermeras, a cada una de las cuales le tocaba cuidar diez niños, estaban tan ocupadas que no tenían tiempo para jugar con ellos, como consecuencia de lo cual "cada niño tenía el equivalente de un décimo de madre" y, como dice el Dr. Spitz, esto no era suficiente.

Al indagar qué les había pasado a los niños en cuestión, el Dr. Spitz descubrió que 27 de ellos (o sea el equivalente al 30%) fallecieron en el transcurso de su primer año de vida, y los 21 que lograron sobrevivir y que aún continuaban en el orfelinato estaban tan asustados de la vida que prácticamente se les podía considerar mentalmente incapacitados.

De los 32 restantes que fueron adoptados en diferentes hogares, desafortunadamente él no pudo obtener datos sobre su vida emocional, orgánica y reacción. Con respecto a los fallecidos, el Dr. Spitz nos dice que se fueron extinguiendo poco a poco por causa del estrés. Ellos principiaron por perder el apetito y el sueño y terminaron siendo incapaces para resistir aun a las enfermedades más leves. Hambrientos de amor, perecieron en la batalla por la vida.

Esto no sólo nos sucede a nosotros los humanos sino también a los animales, las plantas y los objetos que llamamos inanimados. Cuando dejamos de ser amados, algo nos sucede que vamos perdiendo el interés por la vida. Los animales domésticos o mascotas se van aislando y alejándose poco a poco de nosotros cuando no les damos atención o amor, y las plantas se van marchitando y secando cuando dejamos de atenderlas, e igualmente les sucede a las cosas, éstas se desgastan o descomponen muy seguido, cuando no se les expresa gratitud y amor.

Uno de los grandes conocedores acerca del amor fue el Apóstol San Pablo; él dijo a los Corintios en el capítulo 13 de su primera carta:

"Si yo hablara las lenguas humanas y angélicas y no tuviera amor en mí, vendría a ser como un metal que resuena, o címbalo que retiñe.

"Si tuviera el don de profecía y entendiera los misterios y la ciencia, y si no tuviera la fe de tal manera que trasladara las montañas, y no tuviera amor en mí, nada sería.

"También si diera mis bienes para dar de comer a pobres, y si entregara mi cuerpo para ser quemado, y no tuviera amor en mí, nada aprovecharía.

"El amor es sufrido, es benigno; no tiene envidia, no es vanaglorioso ni jactancioso; no es indecoroso, no busca lo suyo, no se irrita fácilmente, ni piensa el mal; no se goza de la injusticia, sino de la verdad.

"Todo lo sufre, todo lo cree, todo lo espera, y todo lo soporta.

"El amor nunca falla, pero las profecías cesarán; las lenguas enmudecerán y la ciencia dejará de ser tal... Ahora permanecen la fe, la esperanza y el amor, éstos tres; pero el mayor de ellos es el amor".

El gran poeta norteamericano Robert Browning escribió: *"Todo es Amor y todo es Ley"*. Al hacer tal afirmación, Browning nos está diciendo que el Amor es todo el Poder que existe y que a través de la Ley, es la forma como este funciona. En otras palabras, la Ley es el Poder Universal en acción. Es la gran ley de causa y efecto, no son cosas separadas, ambas conforman una misma cosa. Causa es la que pone en movimiento el medio creativo de nuestra mente, la cual produce el efecto. Cualquiera que éste sea, debe de ser de la misma naturaleza de citada causa.

Por consiguiente debemos de expresar el Amor Divino que está dentro de cada uno de nosotros. Cuando tú llenes tu corazón de este Amor, entonces tú no criticarás ni juzgarás. Tampoco podrás ser irritable sino que serás divinamente comprensible. Si cada mañana te levantas con esta idea en tu mente, la de permitir que este Amor se exprese a través de ti todo el día, Él te guardará de criticar, de juzgar y de sentirte infeliz sobre cualquier condición que puedas enfrentar y que aparente ser inarmónica.

Al principio, la idea de ser divinamente considerado suena un poco sentimental y uno se siente dudoso acerca de decir que es divinamente considerado. Nosotros asociamos esta idea con el pensamiento de atracción personal, pero después de todo, la verdadera atracción personal depende de algo más profundo que de circunstancias externas. A menos que haya profundidad de carácter y espiritualidad no habrá fuerza o poder de atracción en el atractivo personal. Pero cuando el amor llena nuestro corazón, éste no sólo se refleja en nuestro rostro sino también en nuestra vida.

La persona que es bella, se vuelve aún más bella y a la que le falta belleza o tiene irregularidades en sus facciones, se refleja de tal modo por la irradiación de la llama interna del Amor que él o ella también se vuelve divinamente irresistibles. ¿A qué deseamos volvernos irresistibles?

Nos volvemos irresistibles a lo real, lo verdadero, a las cosas buenas de la vida, ¿no es así? Pero con nuestros feos y desagradables hábitos que siempre estamos expresando como el estar irritados, impacientes, con pensamientos negativos de resentimiento, celos, envidia, etc., construimos una pared, o más bien un muro de resistencia para el bien que deseamos tanto y después nos preguntamos: ¿Por qué no soy feliz? ¿Por qué no soy próspero? ¿Por qué no tengo éxito en la vida? ¿Por qué siempre estoy solo/a?

Cuando estamos irritados, no es posible que el bien llegue a nuestra vida. Hemos fallado en todas formas al no dejar que el Amor de Dios se exprese a través de nosotros y sin amor no puede haber verdadera felicidad ni éxito real.

Existen personas que piensan que el mundo las ha tratado muy mal, que nadie las entiende ni comprende, que nadie gusta de ellas y que todos están en su contra. Tal vez tú has oído a algunas de ellas que dicen estas cosas, igualmente que alguien puede estar diciendo: "A

Juanita le están impidiendo que su bien le llegue". Pero nosotros sabemos que esta afirmación es absurda, porque nadie, absolutamente nadie puede retener o impedir que nuestro bien nos llegue; excepto nosotros mismos, si no lo aceptamos o si creemos que alguien puede obstruir para que éste nos venga.

Sólo la falta de visión de una persona o su falta de amor y comprensión, puede hacerle pensar de esta manera. Lo único que trabaja en contra de cualquiera es su fracaso de expresar el Amor de Dios. Cuando una persona cultiva el Amor Divino y está dispuesta a dejarlo expresarse a través de ella, entonces disfrutará su vida sin dificultad alguna y se liberará de la confusión causada por la creencia de que todo mundo está en su contra o que alguien desea hacerle daño o bien impedir que su bien le llegue.

El Amor Divino es un Poder inherente al cual si se le permite Su expresión a través de nuestra vida, Él transformará todo en armonía, transmutará toda condición negativa, haciendo todo armonioso. Los resultados de expresar Este Amor son siempre maravillosos.

No debemos de confundir la simpatía, el sentimiento o la lascivia con el Amor incondicional. Me refiero al Amor purificador, al Poder trascendente que se expresa por medio de ti y de mí cuando abrimos nuestra mente y corazón a Él. Cuando lo reconocemos y lo expresamos libremente; incondicionalmente. Si sientes que nada te satisface y estás en desarmonía, si tu vida parece ser muy difícil y el camino oscuro, lo más probable es que tú no estés dando amor.

El primer paso para remediar estas condiciones es el olvidarte de tu ser personal y cultivar el poder irresistible del Amor en tu vida, dando algo de ti mismo de manera que ayude a otros. En otras palabras, cultiva el sentimiento del amor y sé una expresión de aquello que deseas atraer y tener en tu vida.

El segundo paso es, que no debes de pensar en la falta de amor. Por el contrario, debes de expresarlo frecuentemente en tu vida, ya que el amor reside en el centro de nuestro ser donde existe una inagotable fuente de él y entre más lo des, aún más tendrás para dar. Una persona puede sentir compasión y amor hacia otros pero teme expresarlo, bloqueando así la expresión de sus buenos sentimientos. Esta persona tiene el temor a ser rechazada o sentirse frustrada por el miedo a no recibir lo mismo que él o ella da.

El deseo de amor es frecuentemente la necesidad de expresar amor hacia otros. Deja que el amor hacia otros se exprese a través de ti bendiciéndolos, orando en silencio porque la paz y la bondad de Dios se derrame sobre ellos.

El Amor de Dios puede cambiar la vida para otros si le permitimos que Él se exprese a través de nosotros, quienes somos sus canales de expresión. El Amor hace bello y suave el camino que antes era duro y espinoso. Cambia nuestro descontento en armonía y felicidad, satisface nuestras necesidades y es el imán irresistible que trae la sustancia invisible de Dios a manifestación como nuestra visible y diaria provisión.

Con mucho sentimiento di para ti mismo varias veces: *"Mi corazón está lleno del Amor Divino. Yo no critico, ni soy irritable o impaciente, yo soy divinamente irresistible"*. De esta manera estarás hablando aquello en ti que es y será siempre la fuerza más poderosa en el mundo. El Gran Maestro, Jesús dijo: *"Antes de que Abraham naciera, YO SOY"*. El YO SOY es el nombre con que Jesucristo se conoció a sí mismo como uno con el Padre. Con este nombre podemos liberar nuestra vida de las perturbaciones y oscuridad, no importa cuan profundas parezcan ser.

Igualmente afirma varias veces: *"**YO SOY el Amor Divino en expresión**"*. Así, tú empezarás gradualmente y con facilidad a trascender las limitaciones de tu humanidad. No olvides que este Amor proviene de una fuente infinita que está en ti y que es inagotable. Asimismo, recuerda que entre más amor des, tú estarás lleno de todo lo bueno que existe.

El amar a una persona no significa tomar posesión o apoderarse de ella. Se debe de afirmarla, esto es, reconocer en ella su calidad de ser espiritual, ver en ella su naturaleza Divina y así externar sus cualidades y virtudes. También implica el entregarse por completo y con alegría a lo que ella es como ser humano —único y singular.

Realmente no tiene sentido el amar a una persona y pretender esclavizarla por medio de la ley o por ataduras de dependencia y posesividad. El verdadero Amor es el Poder Perfecto que mantiene en equilibrio al Universo y cuando amamos sinceramente, pasamos a formar una misma unidad con este Poder.

El verdadero Amor es el Poder que está en cada uno de nosotros, Él vive en nosotros; es la Energía Divina espiritual en la cual vivimos, nos movemos y tenemos nuestro ser como atinadamente lo dijera el Apóstol San Pablo.

Si verdaderamente queremos recibir amor, primeramente debemos de amarnos nosotros mismos y luego darlo a los demás. Pero debemos de darlo sin interés alguno y sin esperar recompensa por ello; darlo incondicionalmente para que éste pueda retornar a nosotros multiplicado. Debemos de ser siempre generosos al dar amor, recordándonos a cada instante que él proviene de la fuente inagotable que está en el centro de nuestro ser. Así pues demos amor infinito para recibir infinito amor y recuerda que "El Amor Todo Lo Puede".

Afirma de la siguiente manera si deseas generar
más amor:

YO ACEPTO LA PLENITUD DEL
AMOR DIVINO EN MÍ.
YO JAMÁS ME SEPARO DEL AMOR PORQUE
SIEMPRE ESTOY UNIDO A ÉL.

MI NUEVA VISIÓN DEL AMOR LO PURIFICA
TODO Y SÓLO PERCIBO LO BELLO Y LO BUENO
QUE HAY EN MÍ Y EN TODOS LOS DEMÁS.

EN MI CONCIENCIA YA NO HAY CABIDA
PARA LA CRÍTICA O FALSOS JUICIOS.
TODO PENSAMIENTO CONTRARIO
AL AMOR ESTÁ FUERA DE MI MENTE.

YO SIEMPRE DOY AMOR Y ÉL REGRESA
A MÍ MULTIPLICADO. EL AMOR DE DIOS
ME BENDICE Y ME PROSPERA,
GRACIAS DIOS PORQUE YO SÉ QUE...
ASÍ ES.

la **Felicidad**
Depende de Ti

El Dr. Ernest Holmes en su libro de texto La Ciencia de la Mente nos dice: "*...Y Dios le dio poder al hombre para gobernar su mundo*". Lo cual significa que nosotros debemos de distinguir entre lo que está bajo nuestro control y lo que está fuera de nuestro control.

Nuestra felicidad y libertad de la cual todos tenemos el derecho innegable para disfrutarlas, están basadas en la comprensión de un principio que dice: "*Algunas cosas están bajo nuestro control y otras no*". Cuando nos enfrentamos a esta regla y aprendemos a distinguir entre lo que podemos controlar y lo que está fuera de nuestro control, entonces podremos disfrutar de la paz y serenidad internas y consecuentemente actuaremos con eficacia en nuestro mundo externo.

Por ejemplo bajo nuestro control están nuestros pensamientos, sentimientos, emociones, aspiraciones, opiniones y deseos; también lo que no nos gusta. Todo esto es de nuestra incumbencia, porque están directamente sometidos a nuestra influencia e igualmente tenemos el poder para controlarlos.

No obstante, están fuera de nuestro control las opiniones de otros, su comportamiento, juzgamiento y actitudes; por lo tanto, no debe de preocuparnos. El tratar de controlar esto o querer cambiarlo, sólo nos produce frustración y uno de los mandamientos del Maestro Jesús nos dice lo siguiente: *"No juzguéis para que no seáis juzgados. Porque con el juicio con que juzgáis, seréis juzgados, y con la medida con que medís, os será medido".* (Mateo 7:1, 2).

Por lo tanto, debemos de recordarnos que las cosas que están dentro de nuestras posibilidades se encuentran naturalmente a nuestra disposición, libres de toda restricción u obstáculo; pero aquéllas que están fuera de nuestro alcance, dependen y son determinadas por las actitudes y acciones de otros.

Asimismo, si creemos que tenemos poder sobre cosas que se encuentran más allá de nuestro control, o queremos hacer nuestros los asuntos de otros, nuestros esfuerzos serán inútiles y nos convertiremos en personas frustradas, ansiosas y criticonas. Así pues, haz sólo lo tuyo, lo que a ti concierne. Mantén centrada tu atención en esto y mira con claridad lo que a otros les corresponda hacer, acuérdate que eso no es asunto tuyo.

Si tú haces lo tuyo, no estarás sujeto a coerción y nadie podrá detenerte en la solución de tus asuntos. Serás verdaderamente libre y todo lo harás con eficacia, porque tu esfuerzo será aprovechado y no tontamente desperdiciado en criticar o estar oponiéndote a los demás.

Si reconoces y te ocupas de lo que en realidad a ti te corresponde hacer, entonces nadie te podrá obligar a hacer algo que esté en contra de tu voluntad. Nadie podrá herirte, no tendrás enemigos, tampoco podrán causarte daño.

Si acatas estos principios, debes de saber que al comienzo no te será fácil, pero debes de continuar porque tú tienes el poder para lograr el triunfo. Esto también requiere de renunciar a algunas cosas y posponer otras. Tal vez sea necesario el privarte de la riqueza material y del poder que consideras tener ahora, para asegurarte el obtener plena felicidad y libertad.

Cuando nos referimos a privarte de la riqueza material no necesariamente quiere decir que sólo los pobres lo pueden hacer o que debes de ser pobre para lograrlo. El Maestro Jesús nos dice en Mateo 19:21,22 "...*Si quieres ser perfecto, anda, vende tus posesiones. Dalo todo a los pobres. Al hacerlo así, tendrás tesoros en los cielos. Luego, ven y sígueme. Cuando el joven oyó lo que Jesús le dijo, se fue entristecido. Porque tenía muchas posesiones*".

Aquí se refiere a que el joven no poseía posesiones sino que las posesiones lo poseían a él. Era una prueba que Jesús le estaba haciendo a él para ver qué tanto amaba las riquezas materiales y por esta razón no pudo pasar la prueba. Para crecer espiritualmente es necesario despojarnos de todas las cosas materiales a que podamos estar atados; inclusive de las personas a quienes amamos ya que nada de esto podemos llevarnos al Reino que proclamaba el Maestro. Las personas y cosas indudablemente son parte de nuestra felicidad en este mundo en el cual estamos viviendo ahora, pero ellas tienen que quedarse —no podrán ir con nosotros—, y por esta razón no debemos de estar sujetos o atados a ellas.

Cuando nos enfrentamos a una apariencia debemos de repetir: *"Eres sólo una apariencia y no la realidad".* Según los principios que acabamos de enunciar, pregúntate: *"¿Esta apariencia, es algo que está bajo mi control, o pertenece a algo fuera de mi control?"* Enseguida considera el asunto o situación y si es algo que tú puedes controlar tú encontrarás una solución fácilmente; de lo contrario acuérdate que no debes de preocuparte por ello, porque está fuera de tu control o no es de tu incumbencia. Pero puedes orar a Dios para que se haga cargo de ella o te de guía para solucionarla si es que está en ti el hacerlo.

Es importante no dejar ningún deseo insatisfecho porque todo deseo debe de ser realizado. El deseo mismo muchas de las veces nos exige y nos empuja a que éste sea materializado. Asimismo, cualquier aversión nos hace evitar lo que nos molesta. Cuando no hemos obtenido lo que deseamos, generalmente nos sentimos desencantados; y cuando obtenemos lo que no queremos, nos sentimos desdichados.

Por este motivo, si evitamos las cosas indeseables que sean contrarias a nuestro bienestar —no debemos de pensar en ellas— y si éstas están bajo nuestro control, lógicamente que nunca las experimentaremos.

No obstante, si intentamos evitar cosas comúnmente ineludibles como el pensar de un ser querido que se aferra en la enfermedad, la muerte o el infortunio, ahora sabemos que sobre estas cosas no tenemos ningún control, por lo tanto sufriremos y haremos sufrir a quienes nos rodean si nos preocupamos por ello.

El deseo y cualquier aversión, aun cuando poderosos, son sólo hábitos que nosotros mismos establecemos. Podemos disciplinarnos para tener sólo buenos hábitos, hábitos que produzcan y nos beneficien. Por ejemplo: Podemos eliminar el hábito de sentir aversión por todo lo que no podemos tener en nuestro poder y concentrar más bien nuestra atención en combatir aquellas cosas que podemos controlar y que no nos convienen.

Asimismo, podemos refrenar el deseo. Si deseamos algo que no se encuentra bajo nuestro control, seguramente vendrá el desencanto; y entre tanto, estaremos descuidando aquellas cosas que sí podemos controlar y que son dignas de ser deseadas. Por supuesto que habrá momentos en los cuales por razones prácticas, debemos buscar una cosa y evitar otra; pero es preciso hacerlo con gracia, delicadeza y flexibilidad.

Debemos de observar con atención las cosas, no reaccionar ante ellas. La mayoría de las veces, las circunstancias no se adecuan a nuestras expectativas y las cosas simplemente suceden. Igualmente las personas se comportan tal como ellas son. Por este motivo debemos de poner atención en las cosas y ver la razón de por qué suceden, no reaccionar y después pensar en ellas. Hay una causa que origina todo efecto y sabemos que esta causa es mental, lo cual nos indica que las cosas no se hacen por sí solas ni nada pasa por casualidad. Siempre hay un pensamiento que las origina y nosotros estamos a cargo de nuestros pensamientos.

Si comprendemos esto, debemos de mantenernos todo el tiempo alertas con lo que estamos pensando y de esta forma nos evitaremos el dolor de los falsos apegos y un sufrimiento gratuito. Debemos de pensar solamente en las cosas que nos deleitan y causen beneficio. Debemos de tomar muy en cuenta que todas y cada una de las personas con quienes tratamos, tienen su propio carácter, sus propios gustos, los cuales son muy diferentes a la forma en que los vemos y tratamos o como dice el refrán: *"Caras vemos, corazones no sabemos"*.

Vamos a poner un ejemplo acerca de los apegos ya que muchas de las veces no nos damos cuenta de ellos y realmente no vale la pena darles demasiada atención. Supongamos que tú tienes una taza que es tu preferida porque alguien muy especial te la regaló, y si ésta accidentalmente se rompiera, ¿podrías soportarlo sin sentir dolor o coraje? Debes de tomar en cuenta que todas las cosas —inclusive nosotros— no son eternas. En el mundo objetivo en el cual estamos viviendo ahora, todo es transitorio.

Y si una persona hacia la cual tus sentimientos se aferran con mayor intensidad, si algo desagradable le sucediera, ¿lo podrías discernir en ese momento para que no te causase dolor? O te soltarías llorando y maldiciendo esa situación. De antemano debemos de saber que cuando abrazamos a un hijo, a nuestra esposa o esposo, sólo estamos abrazando a un ser querido que está de paso junto con nosotros, aprendiendo y haciendo lo mejor que él o ella sabe hacer.

Teniendo este conocimiento, si alguno de ellos partiere antes que nosotros, lo soportaríamos con entereza y serenidad. Máxime si le hemos dado en vida lo mejor de nosotros. Cuando así sucede, y muchas de las veces ni siquiera una lágrima es derramada, esto no quiere decir que no lo hayamos sentido o que nos hayamos hecho insensibles al dolor. Simplemente es porque hemos cumplido con nuestra obligación moral de haber contribuido para la felicidad de ellos y esto nos llena de satisfacción y gozo; sobre todo el haber cumplido hasta donde estaba nuestro control.

Hay una frase muy al caso que dice: *"En vida, hermano, en vida"*. A este respecto cuando un ser querido parte primero que nosotros, muchas personas no lo pueden soportar y hasta sufren de "ataques" de dolor e impotencia. Tal vez ellas no estaban lo suficientemente preparadas para esta prueba o bien el remordimiento de que en vida no les dieron lo mejor de ellas mismas o nunca contribuyeron para su felicidad, les hace sentirse culpables. Cuando se dan cuenta de esto, casi siempre demasiado tarde, sienten la falta que les hará esta persona que cuando estuvo con ellas ni en cuenta la tomaban.

Lo que realmente nos atemoriza y desconsuela, no son los acontecimientos mismos, sino la forma como pensamos de ellos. No son las cosas las que nos perturban, sino la forma como interpretamos su importancia. Por esta razón debemos de dejar atrás los temores y las reacciones impulsivas, así como las impresiones sobre las cosas que están fuera de nuestro control. Las personas y las cosas no son lo que deseamos que sean ni lo que aparentan ser; son simplemente lo que ellas son.

Nada nos puede lastimar, es nuestra percepción lo que origina el daño, por lo tanto ningún suceso o persona puede lastimarte; pero tu percepción de ello sí lo puede hacer.

Las cosas y las personas en sí carecen de poder para lastimarnos o hacernos daño, tampoco pueden entorpecer nuestra vida, si nosotros estamos alertas y no permitimos que lo hagan. La forma en que estamos percibiendo y sintiendo es lo que puede originarnos los problemas. Inclusive lo que llamamos muerte, carece de importancia para nosotros cuando tenemos una idea clara en nuestra mente de su significado. Sabemos que muerte es sólo una transición, el paso hacia algo más elevado y mejor.

El Maestro Jesús nos dice en San Juan 14:1, 3: "*No se turbe el corazón de ustedes. Crean en Dios y crean en mí. En la casa de mi Padre hay muchas moradas. Si así no fuera, se los habría dicho; voy a prepararles lugar*". Esto quiere decir que seguiremos viviendo, claro que ya no con el cuerpo físico que ahora tenemos, el cual es sostenido por la Vida de Dios individualizada en cada uno de nosotros y la cual es eterna. Nuestro cuerpo se queda, pero nuestra alma o espíritu siempre está evolucionando y en continua expansión, aún después que dejamos este planeta.

También sabemos que en la misma forma que cuando llegamos a esta vida, hubo alguien esperándonos para darnos amor y guía; en la misma forma existe en ése otro "sitio" personas esperándonos también con mucho amor para asistirnos y guiarnos hacia nuestra nueva morada como lo anunciara el Maestro: *"En la casa de mi Padre hay muchas moradas"*. Al saber esta verdad, ella nos libera del temor a lo desconocido y porque sabemos que nunca vamos a estar solos ni a morir; simplemente seguiremos avanzando, pero en forma diferente a la actual. En esa dimensión no requerimos de este cuerpo que ahora tenemos.

Cuando conocemos la Ley del Pensamiento, entonces no podemos culpar a otros de nuestros sufrimientos. Si son las cosas las que nos hacen sufrir, es porque nuestros sentimientos acerca de ellas están errados.

Tampoco podemos culpar a los demás por lo que nos pasa, eso es una tontería. Cuando suframos reveses, penas o perturbaciones, nunca culpemos a los demás por ello, porque la causa son nuestras propias actitudes, las cuales conscientes o inconscientes son la causa de todo.

Las personas que son infelices por lo general reprochan a los demás por sus sufrimientos. Aquellas personas que viven su vida con sabiduría, comprenden que la tendencia de culpar a algo o a alguno de lo que les pasa es una tontería, pues nada se gana con echarle la culpa a los demás. Ellas analizan y determinan los cambios que deben de hacer para que las situaciones o circunstancias cambien al cambiar sus actitudes.

Entre más examinemos nuestras actitudes y trabajemos en nosotros mismos, menos susceptibles seremos de dejarnos arrastrar por reacciones o emociones tormentosas. Las cosas son sólo lo que son. El tratar de indagar qué es lo que piensan los demás, nunca lo lograremos ni tampoco nos beneficia, además esto está fuera de nuestro control; no es de nuestra incumbencia así que olvídalo. No debemos de sentir vergüenza o culpa alguna de las cosas desagradables que pasan a nuestro alrededor, si nosotros no tuvimos nada que ver con respecto a ellas.

Nosotros podemos crear nuestro propio mérito; no debemos de depender de la admiración de los demás, porque no hay fuerza en ello. El mérito personal no puede venir de una fuente externa. Por consiguiente no debemos de buscarlo a través de alguien o de nuestras relaciones personales, inclusive de aquellas que nos aman, porque muchas de las veces no coinciden con todas nuestras ideas ni nos comprenden o comparten nuestro entusiasmo y buenos propósitos.

Pero de una u otra forma vamos madurando y si no, analiza esto: ¿Te importa mucho lo que piensen de ti los demás? Tú puedes crear tu propio mérito porque el mérito personal no se puede lograr a través de tus relaciones con personas que hayan logrado la excelencia. Cada cual se ha asignado su propia tarea para lograrlo y por lo tanto, si ellos lo obtuvieron tú también lo podrás lograr, pero para ello debes de dedicarle tiempo.

Realiza tu propio trabajo. El ser útil y ayudar a los demás, es una buena forma de empezar. No prestes atención a lo que los demás puedan pensar acerca de tus acciones, esto no te beneficia. Ahora sabes que el mérito indirecto no existe. Los triunfos y la excelencia de los demás, les pertenecen solamente a ellos. Analiza, piensa y pon acción en lo siguiente:

1. ¿Realmente qué te pertenece? Te pertenece el control de tus pensamientos y el uso que hagas de ellos; los recursos y las oportunidades que se te puedan presentar en tu camino.

2. ¿Tienes libros o alguna biblioteca? Los libros siempre nos ilustran y nosotros podemos aprender mucho de ellos. Sus autores también han tenido sus propios logros y algunos de ellos lo comparten.

3. ¿Eres un profesionista, o te has especializado en algo? Pon en acción tus conocimientos con el propósito firme de beneficiarte y poder ayudar a los demás.

4. ¿Tienes alguna buena idea en mente? Ponla a trabajar para su feliz realización. No argumentes, ya que toda idea que nos ayude y ayude a los demás viene complementada de todo lo necesario para que fructifique.

5. ¿Tienes tiempo y posibilidades? No demores; contribuye con ellas con mucho amor para que alivies en algo las necesidades en otros y esto regresará a ti en forma multiplicada.

Cuando hayamos armonizado nuestras actitudes y acciones con la naturaleza —de la cual todos somos parte— a través del reconocimiento de lo que en realidad nos pertenece, podremos sentirnos justificadamente tranquilos y felices con nosotros mismos. Entonces habremos logrado nuestro propio mérito en la realización de nuestro propósito en la vida: *"Vivir nuestra vida feliz y dejar vivir a los demás"*.

Si deseas ser feliz permanentemente, afirma de la siguiente manera:

HOY YO HE DECIDIDO SER FELIZ;
ES MI DERECHO DIVINO VIVIR
MI VIDA FELIZ Y ¡PERMANENTEMENTE!

YO VIVO MI VIDA FELIZ Y DEJO VIVIR
A LOS DEMÁS PARA QUE ELLOS TAMBIÉN
SEAN FELICES.

GRACIAS PADRE POR LA FELICIDAD
QUE YA NOS HAS DADO;
YO LA ACEPTO CON GRATITUD.

SABIENDO QUE ASÍ ES.

¿A QUÉ LE TEMES?

Se ha dicho que el mayor enemigo del hombre es el miedo. ¿Pero qué es el miedo? El miedo es un pensamiento; consecuentemente nosotros le tememos a nuestros propios pensamientos. Esto significa que si deseamos eliminar el miedo debemos de aclarar nuestros pensamientos y saber que es ilógico que nosotros mismos podamos causarnos daño. Asimismo, tenemos que entender que nada ni nadie tiene poder para hacernos daño; y si aceptamos que somos una creación Divina, o sea imagen y semejanza de nuestro Creador, entonces Él jamás podrá desampararnos.

No obstante Él nos dio el libre albedrío para pensar y esto ha originado que nosotros en nuestro desconocimiento de esta verdad, hayamos escogido el temer. Se nos dice que son siete los temores más grandes que el hombre tiene en su vida y éstos son:

1. El temor a perder el amor de los seres queridos.

2. El temor a la enfermedad.

3. El temor a la pobreza.

4. El temor a la crítica.

5. El temor a perder nuestra libertad.

6. El temor a la vejez; y

7. El temor a la muerte.

Primero: ¿Qué es lo que tenemos que hacer para poder liberarnos del temor a perder el amor del ser que amamos? Tenemos que entender que el verdadero amor está basado en lo espiritual y por tal motivo amor es libertad. Nuestra paz es interna y ésta se refleja en nuestro alrededor cuando una pareja se encuentra en armonía. Ellos saben que son una misma persona, —en espíritu— y que esta unión abre el entendimiento y comprensión de ser el uno para el otro, asimismo saber que no deben de poseerse egoístamente.

Quien ama realmente a otro, no encadena a su compañero por el sentimiento de celos. Los celos son un temor a perder a su ser amado y el verdadero amor no cela ni exige, sino que él da. El amor a perder al ser amado es tan nocivo para la pareja que puede llegar a ser la verdadera causa de la pérdida del amor. Si deseamos mantener nuestra relación de pareja, debemos de confiar mutuamente y así poder permitirnos expresarnos con plena libertad y nunca cometeremos errores, consecuentemente el temor desaparecerá de nuestra mente.

Segundo: El temor a la enfermedad. Todos conocemos a personas que constantemente les gusta conversar acerca de la salud, pero su tema favorito es la "mala salud". A este tipo de personas les gusta describir las enfermedades que han padecido con todos los detalles posibles y también los síntomas de ellas. Ellas lo primero que hacen al despertar es pensar qué es lo que les duele hoy para así en el desayuno, llevarlo como tema de su conversación. Están siempre dispuestas a escuchar cualquier sugerencia o remedio que se les recomiende para aplicarlo.

También están constantemente cambiando de medicamentos, porque constantemente están temiendo contraer alguna de las enfermedades que están de "moda" o andan en el ambiente, las cuales finalmente terminan atrayendo, porque han permitido que la enfermedad penetre en su mente a través del temor. Cada día más y más doctores se convencen de que la mayoría de las enfermedades tienen su origen en la mente. ¿Cómo evitarlas?

Nosotros los estudiantes de la Verdad sabemos que esto es fácil. Primeramente nunca debemos de conversar acerca de ellas y segundo, cuando nos encontramos con una persona que siempre se está quejando de lo que le duele, cambiamos de rumbo la conversación y mentalmente rechazamos afirmando dentro de nuestra mente: *"ESTO NO VA CONMIGO. COMO DIOS NO CREA LA ENFERMEDAD, EN MI MENTE NO HAY CABIDA PARA ALGO QUE ES IRREAL".* Así podemos fácilmente desechar el temor acerca de las enfermedades y sólo aceptamos la perfección en nosotros, como lo dijera el Maestro: *"Sed, pues vosotros perfectos, como vuestro Padre que está en los cielos es perfecto".* Mateo 5:48.

Tercero: El temor a la pobreza. La mayoría de las personas le temen a la pobreza. Todos nosotros de niños hemos escuchado de una u otra forma conversaciones acerca de la pobreza. Igualmente hemos escuchado acerca de las carencias y de las limitaciones que hay en el mundo, y muchas de las veces en nuestro propio hogar o medio donde vivimos. Tal vez en ocasiones las hemos experimentado y por esta razón hemos creído en ellas.

Las enfermedades, crisis, carencia y limitaciones, son creencias altamente negativas y si han sido establecidas consciente o inconscientemente por nosotros en nuestra subconciencia, donde radica el poder creativo en nosotros ellas sin duda han originado que nuestra vida siempre esté sujeta a todo tipo de limitaciones, malestares o padecimientos.

Por ejemplo, has escuchado: "No me alcanza lo que me dan para el gasto", "por más que estiro mi dinero no completo", "no tenemos lo suficiente para darnos ese o este gusto", "tenemos que guardar para una necesidad", "la crisis está en todo", "cuídate del virus que anda en el ambiente", "la enfermedad está siempre de visita en casa", "tengo que limitarme para completar". etc., etc.

Si tú tienes esta información grabada en tu subconsciente, indudablemente que estás creando para ti todo tipo de temores y lógico teniendo resultados idénticos a lo ya establecido. Muchas de las veces sin fundamento alguno.

Hay personas que se preocupan por el futuro. Ellas piensan que no tendrán más o lo suficiente para mañana y sin darse cuenta, están decretando que así suceda porque la ley del pensamiento nos da exactamente lo que estamos pensando y decidiendo. Esta ley no sabe de "mañana", no está sujeta al tiempo, ella actúa siempre en el presente, en el ahora y principia a trabajar para manifestar nuestros deseos.

Por esta razón debemos de estar siempre pensando sólo en las cosas que deseamos tener o disfrutar, porque en el mundo espiritual del cual también somos parte, ya existe todo lo necesario para que nuestra vida sea completa, pero para que lo podamos traer a manifestación —al mundo visible— tenemos qué aceptarlo como un hecho ya, y dar gracias por ello, antes de poseerlo. Este es el secreto, aunque a simple vista parezca imposible, no lo es. La simpleza de las cosas escapa a nuestro entendimiento y nosotros siempre estamos argumentando —intelectualmente— y rechazando lo que ya se nos ha dado por derecho Divino.

Sin duda alguna el Maestro Jesús sabía de todas estas cosas y por esta misma razón nos dijo: "*Conoceréis la verdad, y la verdad os hará libres*". (Juan 8:32). Libres de toda enfermedad, de toda carencia o limitación. "*Hijo, tú siempre estás conmigo y todas mis cosas son tuyas*". (Lucas 15:31). Si somos hijos de Dios, significa que todo lo que el Padre tiene es nuestro. "*Vuestro Padre sabe que cosas tenéis necesidad, antes que vosotros le pidáis*". (Mateo 6:8). "*Todo lo que pidiéreis orando, creed que lo recibiréis, y os vendrá"*. (Mateo 11:24). *"Es el buen placer del Padre daros el reino"*. (Lucas 12:32). ¿No está todo esto claro para ti? Ponlo en práctica ahora mismo para que lo puedas confirmar por ti mismo. Pero debes de orar con el mismo fervor y fe con que el Maestro lo hacía, con esa aceptación completa en que su oración siempre era escuchada. Él decía: *"Padre, gracias te doy por haberme oído. Yo sabía que siempre me oyes"*. (Juan 11:41,42).

Nosotros ahora sabemos que lo que pensamos lo atraemos y uno de los puntos más importantes para deshacernos de la pobreza es no pensar nunca en ella, mucho menos aceptarla. Por el contrario, siempre tenemos que rechazarla. Recuerda muy bien esto: Como hijos del Altísimo que somos, a Él lo glorificamos en la riqueza, no en la pobreza.

Cuarto: El temor a la crítica. Generalmente siempre se tiene miedo a las opiniones de la gente, pero al saber nosotros la Verdad, ésta nos libera del temor a la crítica, porque sabemos que recibimos de acuerdo a nuestra actitud mental. Por consiguiente, si criticamos a uno, tres o cuatro nos criticarán a nosotros. Existe una Ley Mental que no podemos violar y dice: *"No hagas a otro lo que no quieras para ti"*. También es conocida como La Regla de Oro. Como hijos de Dios que somos, todos y cada uno de nosotros llevamos dentro establecidas cualidades y virtudes que emanan de nuestro Creador. Si las reconocemos y exaltamos, ellas se manifestarán en nuestra vida haciendo que ésta sea plena. Ante Dios todos somos iguales, nadie es más ni menos y por eso mismo el Maestro Jesús nos dejó dicho: *"Amaos los unos a los otros."* *"No juzguéis, para no ser juzgados, porque con la vara que midiéreis os será medido".* Sin duda alguna él conocía las debilidades del ser humano.

Teniendo este entendimiento y comprensión, y si lo llevamos a cabo, entonces el temor a la crítica desaparecerá de nuestra mente, porque sabemos que criticar a otro es criticarnos nosotros mismos y considero que nadie quiere causarse daño.

El traer a la realización algún deseo nuestro y habiéndolo visualizado antes en nuestra mente, a todos nos entusiasma. Pero si nos dejamos influenciar o criticar por otros acerca de nuestro deseo antes de realizarlo, esto viene a ser una influencia negativa que impedirá nuestro propósito.

Un ejemplo es que cuando usted tiene un proyecto y se lo cuenta entusiasmado a su mejor amigo o amiga y, ¿qué es lo que pasa? Él o ella lo critica y le dice que eso será un fracaso, como siempre ha confiado en ella, usted le da crédito a sus palabras, sin darse usted cuenta que ella ni siquiera se ha tomado la molestia de escucharlo con atención, pues mientras usted hablaba de sus sueños, esta persona estaba con su mente muy lejos para escucharlo y luego le dice que eso que usted le platicó será un fracaso. Si es usted una persona insegura, con toda seguridad que irá a pedir consejo pero lamentablemente irá con la persona menos indicada.

Cuando tengamos una brillante idea, con quien debemos de dirigirnos para pedirle consejo o guía es con Dios. Él siempre nos dirá qué hacer y cómo hacerlo para que todo tenga éxito porque con Dios, todas las cosas son posibles. Nuestro guía espiritual quien es Todo-Sabiduría, siempre está dispuesto a escucharnos y también para ayudarnos a la realización de todos nuestros proyectos, anhelos o deseos que sean para nuestro bien y de los demás.

Quinto: El temor a la libertad. El temor a perder la libertad, generalmente se refiere a las personas que después de haber sufrido una condena en alguna cárcel y habiendo sido liberados, ya sea por su buen comportamiento o porque su condena fue corta, ellas están con el temor en sus mentes a perder de nuevo su libertad. Ellas terminan cometiendo otro error porque el mismo miedo los induce a cometerlo. Pensar *es* crear, y: lo semejante atrae lo semejante. Significa que lo que tanto temen les sucede porque inconscientemente le están dando poder a su temor. En otras palabras, están poniendo su fe en lo indeseable y como el poder creativo en nosotros no es selectivo, —sólo obedece y crea— principia a trabajar para manifestar aquello a lo cual se le está dando sentimiento o energía. En este caso la persona que así piensa constantemente tiende a perder su libertad nuevamente.

Otra forma de temor a perder la libertad sucede con muchas personas solteras. Ellas tienen temor de perder su libertad y por esta razón desisten del matrimonio. Yo me atrevo a decir que son más los hombres que las mujeres los que tienen presente en sus mentes la tendencia de este pensamiento negativo. Ellos piensan que entrarán en una "prisión sin rejas" al casarse; pero ellos ignoran que todo esto sólo existe en sus mentes.

Muchas de las veces ya sean en el hombre o en la mujer, pueden gozar de más libertad estando casados que el permanecer soltero porque se liberan del "yugo" familiar y sólo se compenetran con su pareja que cuando ambos son afines, ellos gozan de una libertad completa.

Cuando existe el verdadero amor, el ser el uno para el otro, la comprensión, confianza mutua y continua comunicación, ellos se expresarán con plena libertad y jamás cometerán errores.

Sexto: El temor a la vejez. La gran mayoría de las personas que temen a la vejez son aquéllas que siempre viven hablando y viviendo en el pasado. Ellas continuamente están diciendo: "Yo antes era más hábil que ahora", siempre están haciendo predicciones como: "Quien sabe de aquí a diez años más si pueda siquiera caminar". Son el clásico personaje negativo que nunca aprendió a vivir en el ahora. No saben que lo mejor para no envejecer es vivir en el presente, gozar la vida, disfrutando el ahora, el instante mismo en que se está viviendo.

En vez de estarse programando para un futuro fatídico deberían de estar afirmando: *"Como Hijo de Dios que yo soy, la Vida de Dios en mí es energía y fortaleza que no disminuyen jamás; por el contrario van en aumento. Por lo tanto yo soy joven, fuerte y permanentemente saludable".* Si realmente aceptamos que somos imagen y semejanza de nuestro Padre-Espiritual, entonces nuestra verdadera naturaleza es ser como Él, eternamente joven fuerte y saludable. El mejor antídoto para la vejez es pensar y creer firmemente en la bondad y la belleza.

Séptimo: El temor a la muerte. Cuando llegamos a la filosofía de Ciencia de la Mente, nos hacen saber que la muerte no existe, que es sólo una transición a un plano mayor o como lo expresara el Maestro Jesús: *"En la casa de mi Padre, hay muchas mansiones".* Esta declaración nos está reafirmando lo antes dicho. Es comparado como el pasar de primero a segundo grado en la escuela primaria. Nosotros siempre iremos avanzando hacia arriba, en espiral, tal vez imperceptible para nosotros mismos pero el avance espiritual es gradual y continuo. Es una urgencia cósmica.

Ciencia de la Mente enseña que el Espíritu que nos anima es Dios expresándose en forma individual y humana como cada uno de nosotros, por lo tanto quiere decir que este Espíritu es eterno y que no necesitamos morir para serlo, sino que ya somos eternos. Entonces ¿por qué temer a la muerte? Lo que tenemos que hacer es prepararnos para ése momento de transición que tarde o temprano tendremos que hacer.

La forma de prepararnos es de la misma manera que nos preparamos para los exámenes de fin de cursos.

Estudiamos con esmero y entusiasmo para poder estar listos a la hora de los exámenes. Cuando conocemos esta Verdad, como lo declarara el Maestro; *"Cuando llegue el espíritu de la Verdad, la Verdad os hará libres",* ella nos liberará de todos los temores, incluyendo al de la muerte.

<u>**Conclusión:**</u> Como el temor no es otra cosa que nuestro propio pensamiento, entonces nosotros le tememos a nuestro pensar y por consiguiente nosotros somos nuestros propios enemigos. Como nosotros tenemos poder sobre nuestro pensamiento, lógico es que de nosotros depende el que controlemos nuestro pensamiento para que éste no nos controle sino nosotros controlarlo a él.

Para sobreponernos y erradicar nuestros temores, debemos de afirmar lo contrario a ellos.

Por ejemplo: lo contrario al temor de perder el amor de los seres queridos es afirmar:

EL AMOR DE DIOS EN MÍ,
ME DA SEGURIDAD Y ME FORTALECE.
ÉL LLENA TODA NECESIDAD O FALTA
QUE YO PUEDA TENER. TODOS LOS QUE YO
AMO Y ME AMAN ESTAMOS PROTEGIDOS
POR ESTE DIVINO AMOR… Y ASÍ ES.

Para contrarrestar al temor de la
enfermedad afirmemos:

EL ESPÍRITU DE DIOS EN MÍ ES PERFECTO
Y ESTA PERFECCIÓN SE EXPRESA
EN TODO MI SER FÍSICO QUE ES
EL TEMPLO DEL ALTÍSIMO EN MÍ.
POR LO TANTO YO SÉ QUE
'COMO ES POR DENTRO ES POR FUERA'
...YO LO CREO, YO LO ACEPTO
Y YO SÉ QUE ASÍ ES.

Para eliminar el temor a la pobreza afirmemos:

DIOS ES MI FUENTE INAGOTABLE
DE TODO BIEN. YO NO DEPENDO
DE PERSONAS, SITUACIONES O
CIRCUNSTANCIAS, ELLAS SON
CANALES POR LOS CUALES DIOS
SIEMPRE ME PROVEE RICAMENTE.
ANTE TODA NECESIDAD
QUE PUEDA TENER, ÉSTA ES LLENADA
OPORTUNAMENTE. GRACIAS DIOS
PORQUE YO SÉ QUE ASÍ ES.

Para deshacernos del temor a la crítica afirmemos:

YO Y TODOS MIS SEMEJANTES
SOMOS UNO DELANTE DE DIOS.
TODOS TENEMOS CUALIDADES Y VIRTUDES,
POR CONSIGUIENTE NO HAY CRÍTICA
NI JUZGAMIENTO EN MI MENTE.
TODO ESTÁ BIEN EN MI VIDA...
Y ASÍ ES.

El temor a perder la libertad se contraataca
diciéndose para sí mismo:

YO SOY UN SER ESPIRITUAL POR LO TANTO,
SOY UN SER LIBRE. DIOS EN MI ES LIBERTAD
ABSOLUTA. EN MI MENTE NO HAY TEMOR
A PERDER LO QUE TODOS YA TENEMOS:
COMPLETA LIBERTAD. YO LO CREO,
YO LO ACEPTO Y YO SÉ QUE ASÍ ES.

Deshagámonos para siempre del temor
a la vejez afirmando:

YO TENGO LA MISMA EDAD QUE TENÍA AYER.
TENGO LA MISMA VIDA; LA MISMA MENTE;
EL MISMO ESPÍRITU Y EL MISMO CUERPO…
'TODO LO QUE EL PADRE TIENE, ES MÍO
AHORA'. EL PODER EN MÍ NO TIENE EDAD
NI CAMBIOS, SIEMPRE ES EL MISMO, ÉL TIENE
INTELIGENCIA, SABIDURÍA, GUÍA Y DIRECCIÓN
Y TODO ESO ES MÍO AHORA… ASÍ ES.

Para eliminar el temor a la muerte afirmemos:

MI DIOS ES UN DIOS DE VIDA Y NO DE
MUERTE… POR LO TANTO MI MENTE NO
RECONOCE LA MUERTE YA QUE LA VIDA
DE DIOS EN MÍ ES ETERNA Y EN CONTINUA
EXPANSIÓN. YO SOY POR SIEMPRE JOVIAL,
ALEGRE Y ENTUSIASTA… Y ASÍ ES.

COAUTORA

Le doy gracias a Dios, a mi esposo José, por darme la oportunidad de expresar mi sentir acerca de nuestro querido Maestro Jesús; El Cristo, quien nos señaló el camino para llegar a esa aceptación conciente de nuestra unidad con Dios, nuestro Padre-Espiritual.

Muchas veces he pensado y expresado que es lamentable que hasta esta fecha, después de dos mil años aún no se pueda comprender al Gran Maestro. Porque en lugar de seguir su ejemplo, o sea sus enseñanzas, éstas se pierden al adorar a su persona a pesar de que él muy claramente lo dijo, *"No tendrás otro Dios delante de ti"*. Nosotros sabemos que el único Dios que existe (como se le llame) no tiene forma, porque si así fuera Él sería limitado y Dios es Espíritu Infinito e ilimitado.

Muchos piensan que el adorar a Jesús el hombre, él los salvará, pero él fue y sigue siendo el señalador del camino y nos dijo que, *"Si tú sigues mis enseñanzas serás salvo"*. Significa que cada cual salva su alma, nadie lo puede hacer por otro; ni el mismo Jesús. Sus enseñanzas fueron y siguen siendo muy simples como: *"Ama a tus enemigos, ora por los que te maldicen y bendice a los que te aborrecen"*. Claro que para nadie es fácil hacer esto, pero es la única forma de mantenerte protegido y nadie podrá perturbar tu paz.

También lo más importante de su enseñanza es que "El Reino de Dios" está aquí ahora, a la mano porque él está dentro de nosotros mismos. No es un acontecer lejano, aquí ahora es en este mismo momento en que estoy escribiendo estas líneas para ti; yo lo estoy sintiendo dentro de mí, porque este Reino es la Presencia misma de Dios en mí y Ella es paz. La paz tan deseada y que sólo puede principiar en cada uno de nosotros. Este Reino que tanto anhelas te es dado solamente cuando esa paz que trasciende todo entendimiento principia dentro de ti.

Todos somos hijos de Dios, no sólo Jesús lo fue porque él mismo lo afirma con su <u>Padre Nuestro</u> que significa Padre de todos. Somos imagen y semejanza de nuestro Creador, por lo tanto somos Divinos y eternos en espíritu y en verdad.

Se ha hablado bastante acerca del Gran Maestro, pero en mi opinión personal se ha desviado su enseñanza. Él vino a explicarnos en una forma muy sencilla las leyes espirituales que son universales y nos dijo: *"Te será dado en la medida en que tú creas"*. Esta ley es impersonal, inquebrantable, exacta y matemática. Por esta razón el que cree que siempre tiene, tendrá y el que cree que nunca tiene, no tendrá.

Yo estoy convencida de que el desconocimiento de la Ley Mental o Divina es lo que nos ha hecho esclavos y mendigos me atrevo a pensar que a la mayoría de la humanidad. Ahora sabemos que pensar es crear, que los pensamientos son cosas; que todo lo que vemos y tocamos, primero fue un pensamiento y después dependiendo de la clase del pensamiento, la Ley Creativa en nosotros —Ley Divina— lo manifiesta en nuestro mundo físico.

Yo quiero darte un mensaje sencillo para ti en este momento en que tú estas leyendo mis líneas, y es que si deseas mejorar tu vida, lo que necesitas es mejorar tus pensamientos, porque como dijo el Maestro: *"Te será dado en la medida en que tú creas"*. Si deseas realmente seguir sus enseñanzas, lo primero que tienes que hacer es perdonarte tú mismo —porque de una u otra forma tú has cometido errores, faltas o pecados y tal vez hayas ofendido a alguien—, luego perdona a tus enemigos, a los que te han ofendido y a los que te aborrecen y en segundo lugar pensar sólo pensamientos positivos como: Salud, felicidad, riqueza, amor, éxito y paz mental. Recuerda esto: *"De acuerdo a tu fe* —creencia— *así será en ti"*.

Alida Rodríguez de De Lira, R.Sc.P.
Coautora del libro *La Alegría De Vivir*

ACERCA DEL AUTOR

José De Lira Sosa, es R.Sc.P. (Practicante de la Ciencia Religiosa y Ciencia Mental), Profesor de Ciencia de la Mente, Terapeuta Espiritual y Consultor Matrimonial. Conferencista y Coautor del libro *La Alegría de Vivir* (Grupo Editorial Tomo, S.A. de C.V.).

Como guía espiritual él ha ayudado a mucha gente a encontrarse a sí mismos. Ellos han descubierto el potencial que todos poseemos y a través de él, han logrado superar todos sus traumas, problemas y dificultades. Asimismo, han saneado su vida para vivir una vida más feliz, plena y permanente.

Su filosofía es: *"Vive tu vida feliz y deja vivir a los demás"*. Él y su esposa Alida, son cofundadores en Monterrey del movimiento filosófico/metafísico Ciencia de la Mente Monterrey, A.C., un movimiento espiritual dedicado a la ayuda del despertar en el ser humano, manteniéndole en conciencia sus expresiones y experiencias de su naturaleza Divina a través de sus enseñanzas y prácticas de los principios de la Ciencia de la Mente. Para

escribir al Apartado Postal #352, San Nicolás de los Gar-
za, N.L. 66451 (México) Teléfono LD Intl. (52)
8376-7549, correo electrónico: inscmmty@hotmail.com

BIBLIOGRAFÍA

Murphy, Dr. Joseph. *The Power of Your Subconscious Mind*, Prentice Hall, Englewood Cliffs, NJ.

Fillmore, Charles. *Curación cristiana*, Unity School of Christianity, Unity Village, MO.

Butterworth, Eric. *Descubre tu poder interno*, Unity School of Christianity, Unity Village, MO.

Whitman, Walt. *Leaves of Grass*, Double-Day, Doran & Co., New York, NY.

Shakespeare, William. E. P. Dutton & Co., New York, NY.

Cady, Emilie. *Cómo usé la verdad*, Unity School of Christianity, Unity Village, MO.

Holmes, Ernest. *Can We Talk to God?*, Science of Mind Communications, Los Angeles, CA.

TÍTULOS DE ESTA COLECCIÓN

Impreso en Offset Libra

Francisco I. Madero 31

San Miguel Iztacalco,

México, D.F.